모리아 MASTER

아그니 요가 4

발    행 | 2024년 06월 30일
저    자 | 모리아 대사
번    역 | 임창균
편    집 | 정재훈
펴낸이 | 최일해
펴낸곳 | 매직머니
출판사등록 | 제2019-000009호
주    소 | 경기도 양주시 고암길 154-21
전    화 | 010-2231-9977
이메일 | sita7@naver.om

ISBN | 979-11-92435-21-3

정    가 | 13,600원

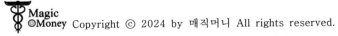

# AGNI YOGA 4

존재는 아그니 요기를 무엇으로 부를 수 있나?

진리의 옹호자다.

진리를 인식함은 빛이 불과 가까운 것처럼, 요기와 유사하다.

의식의 성장은 묘사할 수 없다.
그러나 아그니 요가는 알려진 오감을 소생시키고 아스트랄체와 관련되는 7의 감각을 소생시킨다.

그 7의 감각은 지구적인 껍질 안에서 공명체와 같은 구도로 거의 반향할 수 없다.

그래서 존재는 주의 깊게 아그니 요기의 느낌을 경청해야 한다.

그 느낌들 안에 빛의 불꽃과 같은 진리가 놓여 있다.


## 212


아그니 요가는 인간의 가능성에 대한 진보적인 발전일 뿐만 아니라 규정된 기간에 우리의 행성에 이르는 우주적인 에너지들과 결합해야 한다.

이 사실을 확실히 이해하라.
그러지 않으면
겉으로 보이는 질병의 연속이 퍼질 것이고
외적인 조치에 의한 그것들의 처리는
가장 파괴적인 결과들을 가져올 것이다.

**존재가 불들의 이 현현으로 어떻게 치료될 수 있나?**

그것들은 심령적이고 활동적인 힘으로 유용하게 사용될 수 있다.

그것들이 쿤달리니의 일깨워짐과 관련을 가진다면, 존재는 어떻게 척추의 고통을 치료할 수 있나?

아는 존재는 환영받을 것이며 박하를 문질러 쿤달리니를 도울 것이다.

제3의 눈이 작용하기 시작하면, 어떻게 우리는 제3의 눈이 불타는 것을 중지할 수 있나?

그것을 태양으로부터 보호하면서, 그것의 계발을 돕는 것이 더 합리적이지 않은가?

오래전에 사람들은 이 채널을 보호하기 위해 머리카락을 정수리 부분에서 매듭지었다.

태양신경총이 회전하기 시작한다면, 신경총의 작용을 존재는 어떻게 중지할 수 있나?

그 태양의 뱀의 힘 각각이 분출함은 두뇌에 해를 끼치는 것으로 절정을 이룰 수 있다.

그 성배의 센터의 작용함을 중단시키는 것도 동등하게 위험하다.

물론, 아편 독성을 가하면 그 센터들의 움직임은 차단된다.
그때는 참수하는 것이 더욱 간단할 것이다!

우리가 그것들에 심령적인 에너지 채널을 통해서 접근하지 않는다면
어떤 당황함이 이러한 그 센터들의 설명할 수 없는 움직임들에 의해서 일으켜질 것인가를 존재는 깨달을 수 있다.

이상하게도 '위험하게 하는 것'에 대한 물질적인 흔적에 관한 연구는 심령적인 에너지의 침전(응결)에 대한 이해를 끌어낼 수도 있다.

존재는 어떤 신경 채널에서도 '위태롭게 하는 것'에 대한 흔적을 관찰할 수 있다.
그러나 이 독 알갱이들로 만든 것들 둘레에서

이 유독성의 독사를 흡수하는 어떤 물질이 모인다는 것은 말해질 수 있다.

심령적인 에너지 침전(응결)들은 발견될 것이다. 왜냐하면, 각 에너지는 그것의 물질적인 결정체를 가졌기 때문이다.

Fohat와 Marteria Lucida의 결정체들을 본 사람은 가장 정묘한 에너지들조차도 그 결정체들이 어떻게 보이는지 안다.

에너지들의 물질계와 공간의 보이지 않는 포화상태의 결합은 연구의 진정한 방향이 될 것이다.

형이상학자의 길은 분명한 결과를 가져오지 않는다.

연금술사는 그의 관에서 휴식하고 있다.

그러나 화학은 심령적인 에너지와 모든 것을 구속하는 불에 대한 진정한 이해를 발견한다면 그 만질 수 있는 실제를 드러낼 것이다.

나는 그 가능성을 제공하는 것이 필수라고 생각한다.
그러나 그 의지에 대한 자유를 침해해서는 안 된다.

원하는 누구든지 이해할 것이다!

모든 것이 고갈되는 공식을 주지 말라.

자유로운 의지에 대한 자리를 허용하라.

'위태롭게 하는 것'에 대한 응결(침전)을 여러 분에게 보여주었다.

정확하게 그 독은 사람들에게 너무나 많은 걱정을 준다.

가장 거친 무지도 '위태롭게 하는 것'의 한 방울과 같지 않음을 잊지 마라.
'위태롭게 하는 것'은 개인적인 산물이 아니기 때문이다.

그것은 증발하면서 공간에 침투한다.

그 공간의 순수성을 우리는 모두 책임진다.

자유의지는 수많은 모순을 조장한다.

한 존재는 그것을 인가로 만든다.
다른 한 존재는 책임 없음으로 만든다.
세 번째 존재는 미친 자만으로 만든다.

영의 훈련을 경험한 존재만이
자유의 실현이 얼마나 엄격할 수 있는지 깨닫는다.

자유의 추락은 무지의 축제다.

사람들은 자신을 지식의 하이어라키와 조화할 수 없다.
본인 의지의 엄격함을 평가할 수 없다.

그러나 의지에 책임이 존재하지 않는 요가가 가능한가?
각각의 요기는 겉으로는 자신의 심장 위에서 칼들을
회피한다.

그렇게 그는 의지의 모든 행위에 책임을 진다.

한 요기의 의지에서 도출되는 결과들은
묘사할 수 없을 정도로 엄격할 수 있다.

그러나 그는 왜 그가 그것들을 선택했는가를 안다.

그래서 존재는 그 요기를 지치지 않는 전사로
상상할 수 있다.

의지가 확고한 누구든지 — 그를 들어오게 하라!


215


발톱들은 여러분을 두렵게 하지 않는다.
포효함은 여러분을 두렵게 하지 않는다.

동물들은 꼬리를 흔들며
여러분에게 도움이 되기 위해 준비한 채 서 있다.

그렇게 정확하게, 요가의 길은 위험들을 불같은
꽃들로 변형하게 한다.

내가 여러분에게 지구적인 축적을 경계하라고
충고할 때
나는 단지 영적인 힘의 갑옷만을 의미한 것이다.

**우리는 낭비를 비난한다.**

**각각의 축적은 자유를 향한 하나의 단계다.**

**우리는 허용된 습득의 한계들을 어디에서 정해야 하나?**

스승은 신뢰할 수 있는 지식과 경험으로, 허용되는
모든 것을 인가할 것이다.

요기는 모든 것을 행할 수 있다.
그러나 모든 것이 요기에게 허용되지 않는다.

**그러면 제한의 경계들은 어디에 존재하나?**

그의 영적인 소유를 통한 책임이, 단지 그 소유가 요기에게 가치가 있다.

나머지는 전투 후에 그의 지휘관(사령관)에게 돌려주는 전사의 무기들에 불과하다.

여기에 망설임이 존재할 수 없다.

"주님이여, 나의 무기들, 공격하는 칼과 방어의 방패를 받으소서. 전투에서는 깃털보다도 가벼운 나의 헬멧이 (실제로는) 얼마나 무거운가! 나의 신발은 내 발걸음에 부담을 주고 나의 팔장식들은 팔목에 감긴 쇠사슬과 같다."

지휘관은 답할 것이다.
"각 전투는 그것 자체의 장비를 가진다. 당신의 쓸모없는 무기들을 치워라. 그것들은 당신의 영의 상태에 계승하는 존재에게 주어질 것이다. 각각의 전투는 그것에 적절한 무기를 가진다. 그 칼은 이미 당신에게는 짧다. 그러므로 나는 당신에게 빛의 창과 멀리 나는 화살들을 준다."

칼 길이에서 그의 적을 본 사람은
어떻게 승리의 화살을 쏘아야 하는지 안다.

그러나 많은 전사는 그 무기들의 적절함을 알지 못한다.
그러므로 적의 공격 앞에 추락한다.

부주의를 통해서 적의 공격에 굴복하는 자는 영
예를 가지지 못한다.

전투의 이 역할은 모든 요기에게 필수적이다.

요기의 정묘한 체는, 해방되었을 때 존재의 다른 계들을 방문한다.

공간으로의 비행들과 행성 깊은 곳들로의 돌진은 똑같이 획득될 수 있다.

행성의 대격변에 관한 연구는 생명이 단층화된 것에 대한 이해를 제공한다.

광물이 적재된 흐름 속에 붙잡힌, 동물들이 어떻게 화석화되었는지를 관찰될 수 있다.

존재는 우리 행성의 토대들이 어느 정도 부식되었는지를 주목하면서 지하의 통로들을 통해 움직일 수 있다. 그래서 요기의 영은 고대의 체들의 상태에 익숙해진다.

그리고 그에게는 어떤 것도 안정되게, 완벽하게 보이지 않는다.

그러한 깨달음이 영의 진보를 위해서 요구된다.

완벽을 향한 그러한 노력은 불완전함에 대한 깨달음을 통해서 온다.


## 217

의식의 상승이 초자연적인 고양을 통해서 성취될 수 있다고 생각하는 것은 잘못이다.

**위에서와 같이 아래에서도와 같다.**

**노동과 경험은 모든 곳에 존재한다.**

의식은 정묘한 체의 성장을 양육한다.

가장 약한 감각도 정묘한 체의 조직을 창조한다.

이 상태는 항상 사람들이 시야에서 놓치는 것이다. 그들은 위대한 행위로 연속하는 작은 가정의 잡일을 덮을 수 있다고 생각한다.

그런데 어디에 위대한 것들이 존재하고 어디에 작은 것들이 존재하나?

한 요기의 모든 행위는 항상 정밀한 고려로 가득하다.

존재는 한 요기의 모든 행위에서 관찰과 정밀함을 볼 수 있을 것이다.

(그에게는) 편견이 존재하지 않는다.

쓸모없는 습관도 존재한다. 주목할 가치가 없는 식물을 짓밟는 것 없이 그는 사자처럼 걷는다.
그러나 그는 머뭇거림 없이 공격한다.
그러므로 존재는
존재의 행위 각각에 대한 중요성을 평가해야 한다.
내일 새로운 정원에 식물을 심을 수 있다고 예
상해서는 안 된다.

존재는 즉시, 바로
의식의 양육을 강화할 수 있다.

정원사는 자신의 정원에서 발견되는 각각의 새
로운 뿌리를 연구한다.

요기에게는
의식 각각의 실은 멀리 떨어진 세계들의 한 실이
될 것이다.

요기를 그의 노동 측면에서 가장 세심한 작품을 만들어 내는 것에서 석공 혹은 금세공인에 비유한다.

요기는 진정으로 금속 세공인과 같다.
그 세공인은 가장 정묘한 터치로 복잡한 디자인만 만들 수 있다.

마찬가지로 요기는
인간의 의도의 보이지 않는 상태들을 관통할 수 있다.

그는 항상 보이지 않는 것을 향해서 노력한다.
사건들의 진정한 원인을 구별하는 것을 배운다.

깨어있는 상태에서의 완벽한 경험이 요기의 경험이다.

요기는 완벽하게 삶을 떠날 수 있는가?
그는 너무나 완벽함에 접근해서 심지어 보통의 행성 간의 경험을 오랫동안 참을 수 없다.

여러분에게 알려진 요기 U는
이러한 이유로 그 자신을 위해서
특별한 행성 간에 존재하는 것을 창조했다.
그것은 인류에게 쓸모가 있게 되었고
그래서 그 정묘한 체의 밀도를 높게 하는 것을
연구하는 토대로 포함되었다.

나는 이 사례를 모든 곳에서 개인적인, 의식적인
노동이 필요하다는 증거로 인용한다.

정묘한 세계에서의 악행의 진행은
인간이 완벽함을 향해 끊임없이 진행하는 것을
방해한다.

그러나 그 정묘한 세계는
지구적인 세계에 의해 타락한다.
그러므로 치료는 지구적인 세계에서 시작해야 한다.

요가의 연구는 자아의 완벽함을 위한 것일 뿐만 아니라
정묘한 세계의 향상을 위한 것이다.

요기는 의식적으로 체의 상태를 변화시키면서
영의 워크의 긴장에 도달한다.

그는 화신들 사이의 휴식을 단축할 뿐만 아니라
즉각적으로 자기 생각을 쓸모 있는 행위를 향해
투사한다.

그래서 그는 끊임없는 노동을 통해서
분리된 세상들을 통합하고
존재하는 모든 것에 대한 깨달음을 확실히 한다.

각각의 우주적인 성취는
부주의로 일어날 위험의 가능성을 포함한다.

사람들이 새로운 에너지들을 마스터할 수 있다면
영이 약한 자들은 귀신에 사로잡히는 위험에 크게
노출될 것이다.

**귀신에 사로잡히는 문제는**
**과학적으로 고려해야 한다.**

**존재의 두 측면이 세워진다.**

1. 다른 상태들에서의 삶(생명력)의 계속인지를 고려한다.
2. 존재의 의지 영향력이 다른 한 존재에 있음을 고려한다.

그래서 다른 등급들의 정묘한 체들에 존재하는

존재들은 지상에 화신한 존재들에게 자기 생각을 중첩할 수 있다.

실현되지 않은 에너지는
이 세상들의 통합에 도움을 줄 수 있다.
그러나 가장 높은 세상들을 통합하면서
그것은 또한 가장 낮은 세상들에 대한 길을 연다.

그 외에도, 여러분은 이미 하위의 영들이 그들 자신을 지구적인 방사들에 애착을 두려고 어느 정도에서 노력하는지를 안다.

그러므로 존재는 사람들에게 의지의 확고부동함에 대한 경고를 해야 한다. 왜냐하면, 귀신들에 사로잡히는 것은 가장 받아들일 수 없는 상태 중 하나이기 때문이다.

제3의, 확고한, 순수한 의지의 개입만이 나이 혹은 위치를 고려하지 않고 사람들에게 영향을 주는 법칙이 없는 상태를 종결한다.

아픈 사람들의 이질적인 의지의 증상들을 지켜보는 것은 내과 의사의 의무다.

내과의가 충분히 순수하고, 자신에게 명령받지 않은(자발적인) 손님을 소환하는 것을 두려워하지 않는다면 의지의 행위를 적용할 수 있다.

들러붙는 존재가 떠나는 것만으로는 충분히 치료했다 할 수 없다.
왜냐하면, 수천일 동안 재발 위험이 있기 때문이다.
그리고 병든 존재는 자기 생각을 날카롭게 주시해야 한다.

존재는 내과의들에게 경고하여야 한다.
사람들을 가장 타락한 생각으로 영향을 주길 원하는 존재가 많다.

한 사람을 구하려면, 힘을 가지고 명령의 리듬을 발견해야 한다.
요기의 의무는 해로운 영향력을 몰아내는 데 있다.

## 220

열린 센터들은 진화의 우주적인 채널을 제공한다.

그러나 영매들은 키 없는 배와 같다.

모든 인류는 완벽을 향한 진화 채널들을 통과해야 한다.

그러나 닫힌 센터들은 완벽을 너무나 뒤에서 일소시킨다.

열린 센터들은 올바른 방향에 대한 표시다.

그러나 영매의 역할은 위험만을 나타낸다.
영매는 육체에서 분리된 거짓말쟁이들을 위한
숙소일 뿐이다.


## 221

우리는 높은 곳들의 자기력과 자매인 Urusvati의

열린 센터들을 이용해 Fohat와 Materia Lucida,
'위태롭게 하는 것'의 침전물들과
심령적인 에너지들의 방사에 대한 결정체들을 분석했다.

심령적인 에너지 방사들이 맨눈에 보인다면
그것들은 만질 수 있다는 사실을 고려하라.
만질 수 있는 모든 것은 응축될 수 있다.
이는 새로운 생명력을 수집할 수 있음을 의미한다.

그래서 우리는 실험실의 방법들을 통해서 정확
하게 새로운 에너지들을 정복할 수 있다.

그것들의 자연스러운 방사를 통해서
사람은 새로운 생명력을 저장할 수 있다.
공간을 통해서 흩어지는 것에 직접적으로 적용된다.
이것이 지식에 대한 산 같은 도시가 필요한 이유다.
또한, 심령적인 에너지의 발전에 주의를 기울이는
것이 필요한 이유다.

# 마법으로 소환하는 영에 대해서
## 아그니 요기가 주의할 점
### 222

소위 이중존재(dual existence)의 사례들을 주의 깊게 연구해야 한다.
최악의 경우, 그것은 일종의 귀신들에 사로잡힘이다.

종종 그 영은(the spirit) 자신의 이전 환생들에 그 정도로 접근해서 이전 환생들을 되살린다.

이 상태를 열심히 관찰해야 한다.
이 상태는 현재 환생의 의식으로는 들어오지 않는다.
존재는 현재의 화신을 의심함으로써 고통을 주어서는 안 된다.

여기에서, 요기는 도움을 줄 수 있다.
과거를 건드리지 말라고 명령할 수 있다.

여러분은 Akasa로부터 과거의(전생의 영의) 방사들을 불러일으키지 않기 위해, 필수적인 사례들에서만 과거 환생들에 관계함을 우리는 알아차린다.


## 223

존재는 사람들을 존재의 안마당으로 절대 부르지 말아야 한다.

위대한 스승들조차도 가르침이 전송되지 않을 것을 두려워하면서 대화의 성배를 가장자리까지 채웠다.

**그러나 각각의 가르침은 결정되는 시각에 주어진다. 그것은 공간을 침투하고, 생각되지도 않은 방식들을 통해서 통과하는 (가르침의) 방사를 방출한다.**

널리 갈채 받았던 많은 것이 혼란의 첫 번째 파동에 의해서 물속에 잠기는 것(안 보이게 되는 것)을 우리는 본다.

그러나 그 보이지 않는 씨 뿌림이 얼마나 커지는지 관찰하는 것은 놀라운 것이다.

가끔 비웃음이 되는 책이 절절한 관심에 이르게 하도록 던져졌다.

비슷하게 책들이 불태워지는 것이 그것들의 영향력을 증대했다.

존재는 핍박을 두려워해서는 안 된다.
인식되는 것을 오히려 두려워해야 한다.

이것은 반복될 것이다.
사람들이 군중에게 노예 상태로 압도되기 때문이다.
우연히 모이는 것에 대한 전체적인 쓸모없음을 깨닫지 못하기 때문이다.

가르침의 말들을 삼가면서 그러나 현명하게 어떻게 전송하는지에 대한 지혜는 그 요기에 속한다.

모든 사람에게 모든 것을 주는 것은 공간 자체에
재난을 가져온다.

소수의 확고한 줄기들이 미래의 숲을 이루게 하라.

그러나 작은 관목들은 서로를 먹어 치운다.
그래서 해로운 존재들을 만들어 낸다.

자연의 각각의 현현을 통해서
존재는 상위 기관들의 성장 방식들을 연구할 수 있다.

우리는 생각의 개념들과 화신(구체화)을
  '상위의 유기체들(higher organisms)' 이라고 부른다.

생각의 조각들은 자연스럽게 비논리적이다.

그러나 끊임없는, 정확한 생각은 가르침의 한 기둥이
될 수 있다.

224

누가 유용한 안내를 거절하지 않을까?
삶의 위안들의 모든 생각을 뒤에 남긴 존재다.

누구에게 전투의 수단이 주어지나?
그 전투를 저버리지 않을 존재다.


225

존재는 가까이 있는 것을 멀리서 구해선 안 된다.

인류가 고칠 수 없을 정도로 받은 상해는 마법을
확장해서 연구한 것들에서 비롯되었다!

구도자들은 의식 향상보다는, 심지어 중요성과 리듬에
관한 지식조차 없는 타인들의 말에 제한되었다.

그 밖에 무엇이 마법의 돌처럼 굳은 공식들처럼

그렇게 진보에 적대적인가?

 아스트랄 세계는 모든 것 중 가장 마법의 방식들에 의해서 이 물질의 세계와 분리됐다.

 귀신에 사로잡힘은 가끔 마법의 주문 기도들(magic incantations)의 결과로 생기기도 한다.

 영매의 역할은 마법의 동료다.

 공개적으로 선언된 그러한 마법 공식들은 거짓말의 결과다.

 말로 전송하기 위해서 확보했던 어떤 것이 그것들에서부터 제거되었다.

# 마법으로 소환하는 영에 대해서

확실히 요기는 마법사와 정반대의 존재다.

마법사는 생기 잃은 말들 위에 서 있다.
요기는 항상 우주의 새로운 호흡을 들이마신다.

하나는 탄생 시에도 오래된 존재이다.
다른 하나는 모든 변화를 통해서도 젊다.

하나는 다른 존재의 말을 가지고 하나의 공격 효과를 내기를 시도한다.
다른 하나는 자유롭게 된 생각으로 강타한다.

하나는 보잘것없는 요점으로 자신을 방어한다.
다른 하나는 자신의 섬광의 갑옷과 투구로 방어한다.

요가는 마법과 공통점이 전혀 없다.

여러분은 하나의 흐름이 모든 폭포와 급류를 모아 그것 자체의 흐름으로 한 후에 그 흐름이 강력한 급류로 어떻게 변형되는지 보았다.

그래서 요기에게는 선과 악의 지혜 사이의 구분이 존재하지 않는다.

각각의 사용법을 발견하면서, 모든 종류의 지혜를 동화한다.

존재는 지혜의 모든 종류의 변형에 익숙해야 한다.

우리는 어떤 영역을 우리 아래에 있는 것으로 고려할 수 있나?

자신이 필요한 물질을 거절한다면
어떻게 확신할 가질 수 있는가?

227

어떤 고통은 신성하다고 불리는 것으로서 정당하게 관찰된다.

이를 통해서 영은 상승한다.

다른 방식은 존재하지 않는다.

우리는 의식이 육체적인 고통 없이 상승할 수 있는 사례는 알지 못한다.

존재는 모든 시간에 우리가 최고의 에너지들을 전달하는 것을 기대할 때, 모든 현현을 고려하는 것이 얼마나 필수인지 주의 깊게 이해해야 한다.

어떤 신념이 가장 훌륭한가?
**어떤 의심이 가장 최악인가?**

말없이 확신하는 신념이 가장 훌륭하다.
순식간의 의심이 최악이다.

갉아먹는 의심의 뱀은 가장 두려운 것이 아니다.
왜냐하면, 한 번의 성취로 그 뱀을 파괴할 수
있기 때문이다.
그러나 작은 벌레 무리들(의 공격)은 긴 치료가
요구된다.

가장 강력한 신념은 생각이나 말로 뒤집히지 않는다.

의심 속에서 병들어 있는 것보다는 독을 삼키는
것이 더 좋다.

신뢰로 축복받은 존재는 갑옷과 투구가 필요 없다.

스승을 향해서는 단 하나의 길이 존재한다.
뒤돌아보지 않고 걸어가는 것이다.

실패에 관한 생각은 이미 패배다.

절벽 위의 독수리가 비행하듯이
그는 자신의 비행 방향을 안다.

여러분은 환경에 대한 자기력(magnetization)을 안다.

이전 화신들로부터의 하나의 오래된 오라가 피로를
가져오지 않은 사례는 절대로 존재하지 않았다.

특히 카르마가 특별히 호감을 주는 동료 여행자
들을 데려오지 않은 사례는 없었다.

그러나 각 만남이 끝났을 때
이질적인 특성이 돌아온 것처럼, 하나의 휴식이 온다.

과거 환생들 때문에
모든 지구적인 만남 절반이 일어난다.

존재는 코르크 모양들이 최고의 전기력의 압력에
의해 같이 당겨지는 것을 상상할 수 있다.

카르마의 넓은 적용은 복잡한 결합들, 겉으로 보이는
이중, 삼중의 관련을 창조한다.

그러나 받는 것보다는 내는 것이 좋다.
왜냐하면, 각각의 지불은 과거를 끝내기 때문이다.
반면, 받는 것은 존재를 재구속한다.

# 요기는 분실하는 것이 없다
## 231

존재는 유용한 어떤 것도 분실되지 않는다는 그 생각에 익숙해져야 한다.

둘러싸는 위험들의 경우의 수에 대한 자각에 익숙해져야 한다.

**존재는 지식의 부담에 대한 자각에 익숙해져야 한다.**

부처님은 자신의 아들에게 즐거움을 유지하라고 타일렀다.
그것은 지상에서 가장 어려운 일이기 때문이다.

실제성에 머무는 것보다 지식의 모든 부담을 보유하는 것이 좋다.

존재는 죽음에 대한 모든 고려를 조사해야 한다.

만약 자살에 관한 생각이 없다면
모든 것이 노동으로 가득 찼다면
연장되는 삶이 하나의 육체에 필요할까?

그 시간을 여러 실험으로 나누는 것이 효율적이다.

에너지의 절약(경제성)은 이 세상의 창조의 토대에
존재한다.

오존으로 침투된 새로운 집으로 들어가는 것은
새로운 습득들의 입장을 받아들인다는 의미다.

요기의 워크는 죽음의 두려움을 파괴하는 것이다.

존재는 이웃하는 읍내로 이동하는 것이 하나의
사건이 되는 그러한 제한 상태에 이를 수 있다.

나중에 거주지를 변화시키는 것을 두려워할 수 있다.
의복의 변화조차 그것의 어려움을 줄 수 있을 것이다.

생기(활동력) 없는 사람은 죽음을 가장 두려워한다.
죽음의 존재를 생각하는 것을 두려워한다.
그리고 지나가는 순간을 제한의 한 상태로 생각한다.

우리 육체의 피부도 재생된다.
우리는 그 벗겨진 표피를 묻기 위해 무덤 파는
사람을 소환하지 않는다.

바가바드기타에서 말하는 영(spirit)이 파괴되지
않는 것에 대한 모든 정의를 회상하면서, 소우주
에서 대우주까지로의 비교를 왜 하지 않는가?

요기는 피로를 느낄 수 있나?

**물론 느낄 수 있다.**

**심지어 병들 수도 있다.**

그러나 그는 에너지의 새로운 저장이 모아져야 함을 알 것이다.

에너지가 어디에서 과도하게 소비되었고, 쥐오줌 풀로 만든 진정제와 사향 냄새를 고요하게 취하는 것을 알 것이다.

우리의 기관들이 에너지 회복이 필요함을 아는 것은 즐거움이다.

**과거로부터의 그 피로는 미래를 위한 행복이다.**

**에너지의 새로운 강화는 항상 과거 위에서의 하나의 진보다.**

**이는 피로가 우리의 친구임을 의미한다.**

이것에 대한 지식 속에서 그 현명한 뱀은 자기
피부를 변화시킨다.
　그러나 새로운 성장 동안에는 독을 쏘지 않는다.
　이 재생의 성공은 휴식에 달려 있음을 그 뱀은 안다.


　그러므로 피로의 원인을 아는 사람은
　그 워크에 완전히 다른 센터들을 소환하면서
　자신을 위해 현명하게 휴식을 처방할 것이다.

단지 소수의 사람이 모든 것을 주려는, 공간에 주려는, 보이지 않는 세계들에 주려는, 진정으로 모르는 사람들의 지식에 공헌하려는 욕구로 가득 차 있다는 것을 인식하기란 어렵다.

이 습관적인 삶과의 분리는 새로운 인식을 제공한다.

공간에서의 존재는 쉬운 것이 아니다.
왜냐하면 눈이 멀기 때문에, 존재는 하나의 벽을 창조한다.

만약 그 길에, 도시의 거리에서 멀리 있다면 가슴은 독성 있는 물질들의 압력을 견딜 수 있다.

그렇지 않으면 지구적인 것과 영원한 것을 관련시키는 것은 계산할 수 없을 정도로 어렵다.

모든 실체는 공간의 법칙들에 기반해서 구축된다.

**심지어 병과 요양의 발단도 식별하기 어렵다.**

가끔 주요한 시작의 순간은 계속되는 관찰을 통해서만 **파악할 수 있다.**각각의 법칙에 맞는 행위는 많은 수의 동반하는 결과가 근원이 되기에, 그것의 법칙들은 가장 정묘한 에너지들의 영역에 놓여 있다.

236

"나는 무덤 속에 있는 존재들에게 생명을 준다."

이것은 재환생과 존재의 계속성에 대한 가장 명확한 확인이다.

왜 지구는 병든 상태인가?
행성들의 광선이 오염된 오라를 침투하지 못하기
때문이다.


인간이 최고 의식과의 교류를 중지하고 가장 저
급한 무지로 가라앉는다면, 어디로 떨어지나?


지배하는 행성에서부터 소우주까지, 그 법칙은
하나이다.
사람들은 그 위대한 세계들에 대한 자각을 잃고
완벽에 대한 이해로부터 방황해 왔다.


그들에게 그 세상들은 미친 꿈이 되었다.


그들의 자아의 완벽함은 불필요하고 위험한 유
희가 되었다.


매일 매일의 임금을 위한 노예가 되면서

사람들은 그 길의 끝만을 희망한다.

종교들은 그들의 평결로 인류를 두렵게 해왔다.
그래서 인류의 대담무쌍함을 빼앗았다.

국가의 종교에 맹목적으로 굴복하는 존재는
알려지지 않은 짐을 나르는 당나귀와 같다.

존재는 종교를 경찰의 명령으로 받아들일 수 있는가?

존재는 신념에 따라 하늘과 소통하기 위한 보수를
받는 이방인들의 그 평결을 받아들일 수 있는가?

국가적 종교의 일에서 요기의 중요성이 매우 크다.

두려움 없이, 시험하면서, 지칠 줄 모르게
요기는 인류가 하나 됨의 법칙을 기억하게 도와야 한다.

강타하는 칼처럼
요기의 생각은 공간을 통해서 번쩍인다.

영적인 소통에 대한 방법을 교체할 준비를 하면서
성취를 준비하면서
무지에 대해 비난할 준비를 하면서
요기는 인류가 재화신의 존재들이 된 원인을 깊이
생각하게 명령한다.

이 생각으로 노동의 특질과 이해의 특질이 변할 것이다.

사람에 내재하는 가능성을 깊이 생각한다면
누구라도 두려움 없이 대담무쌍하기를 바라지
않겠는가?

승리자의 왕관은 인류에게 용기를 가르치는 존
재의 것 아니겠는가?

그렇지 않다면 사람들의 머리는 돼지 같이, 지구
의 쓰레기에 꼼짝 못 하게 될 것이다.

현재의 종족은 왜곡된 특성을 많이 가지고 있다.

오늘날 사람들은 개인적으로 모든 것에 확신을 두기를 원한다.
이것은 훌륭한 것처럼 보일 것이다.
그러나 그 결과는 가장 예상하지 못할 수 있다.

사람들은 확신한 채로, 그들의 직업에 영향받지 않은 채 되돌아온다.

가장 거대한 사실은 그들의 매일의 삶에서 흔적을 남기지 않는다.

존재는 자신을 과학자라고 생각하면서 가장 유용한 현현들을 무시하는 사람들을 보며 놀란다.

그들에게, 100년보다도 적은 기간 내에서의 어떤 발견은 논쟁의 여지가 있는 가설로 남는다.

우리의 종족의 생각에 대한 이 게으름이 어디에서 나왔는가?
 그러한 죽어가는 과정은 각 종족의 끝에 동반했다.

 이것은 오랜 세월의 것이다.
 이것은 최종적인 것이다.
 이것은 진화의 거절이다.

 그러므로 나는 항상 그들의 사회적인 위치와 관계없이 소수의 개인과 문제를 다루길 충고한다.

 도움에 관한 질문과 노동의 특질에 대한 문제가 균등하게 왜곡되어 있다.

 사람들은 단지 그러한 도움을 그들의 자만심에 대응하는 것으로 바란다. 왜냐하면, 죽어가는 존재들은 질적인 것을 고려하지 않기 때문이다.

 최소한 소수의 존재가 책임지게 하라.
 책임을 통해서 우리는 생각의 유연성에 이를 것이다.

우리는 방언에서의 하나의 변화를 환영한다.

그러한 변화를 통해서 표현의 관례적인 것들과
주로, 의미의 관례적인 것들이 피해진다.

세월은 습관을 축적하고
동반되는 생각함의(과정) 화석화(굳어짐)를 가져온다.

정부들의 큰 변동과 붕괴들은
기대되지 않은 개념과 새로운 말들로 결과 지어진다.

오래된 표현은 낡아지고
그것들과 함께 노후한 습관이 떨어져 나간다.

표현의 문자보다는 문자의 의미가 특히 위험하다.

예를 들면, 나는 말한다.

"환경들은 성공적으로 모인 것들이다."

사람들은 생각에 대한 그들의 경향을 계속하고 환경들은 유리하다는(호의적) 의미를 연역한다.

그러나 성공에 대한 이해는 좋다 나쁘다에 대한 관점보다 훨씬 넓다.

이 디자인(도안)의 성공은 색들의 획일성에 달린 게 아니라 대조들의 반향에 달렸다.

사람들이 선악의 상대성에 대한 사실을 받아들이는 것은 비슷하게 어렵다.

단지 그것에 반대되는 것이 선 혹은 악을 세운다.

무제한적이고 영원히 새로운, 공간의 체들(spatial bodies)에 대한 격렬한 흐름에 대한 깨달음은 사람

들이 삶을 충동하는 원리를 인식하게 하는 것에
도움을 줄 것이다.

그래서 삶의 각 순간은 이동성을 받아들이고 과
거와 미래의 불가피성과의 연결을 지시할 것이다.

미래 속으로 추진된 그 영은 그 자체를 과거의
누더기로 부담 지우지 않을 것이다.

그것은 새롭게 만난 개념들의 표현을 요구한다.
그것은 말들의 장벽을 파괴한다.

존재는 할아버지의 불필요한 습관적인 인사보다
더 빠르지 못하고 성공적이지도 못한 노력을 용서
할 수 있다.

우리는 움직임을 통해서 탄생의 환경에 의해서
애착을 가지는 아이디어(생각)들에 대한 수평선을
넓힌다.

육체적인 상속의 계보는 영의 상속과 거의 양립될 수 없다.

그러므로 외적인 형태들의 변화 가능성은 영의 노력함을 도울 것이다.

대상(사물)들의 순간적인 중요성에 속하는 모든 스승의 운명은 움직임을 향해서 목적되었다.

금욕주의가 아닌 사물의 현명한 이용이 나타났다.

## 240

말의 의미를 침투하는 능력은 말의 구조에 있는 것이 아니라 내적인 센터의 수용성에 있다.

토론하기 위한 가장 간단한 아이디어를 천 명에게 제출하라. 그러면 여러분은 단 하나의 일치된 논평을 받을 것이다.

존재는 자신을 말에 대한 진정한 이해에 익숙하게

해야 한다.

요가는 생각의 진정한 이해에 접근하는 것에 도움을 줄 것이다.

서로 다른 언어에 대한 이해는
같은 센터 – 후두의 수용성에서 시작된다.

외국어가 어떻게 이해되는지를 관찰하면서
학교의 어린이들에게 외국어로 된 인용글들을
읽어주는 것은 교육에 좋다.

손은 친숙한 사물에 쉽게 적응하게 한다.

의식은 과거에 친밀한 소리를 쉽게 파악할 수 있다.

얼마나 많은 유용한 관찰이 쉽게 만들어질 수 있었나!

요가는 항상 이 즐거운 경계함(vigilance)을 가르친다.

요기는 행동과 실천으로
존재의 방향성을 잡아야 한다
241

존재는 사물(대상)들의 가치를 평가해야 한다.
그러나 과도한 생산은 피해야 한다.

가장 비난받을 만한 생각은 불필요한 대상들 사이에서 시작한다.

사물에 대한 적용과 배분에 대한 실이 드러나 보이는 (진부한) 생각들은 올가미처럼 뻗어 나가고 있다.

긴 고통은 지나간 시대의 산물로 창조된다.

형태들에 대한 혁신은 생각(사고)의 기대되지 않은 흐름을 생산할 수 있다.

우리가 사물을 처리해야 한다면, 그것들을 무관

심으로 고려해서는 안 된다.

 진보의 매일의 삶에서의 그 사물들에 대한 특질과
중요성은 고려되어야 한다.

 새로운 집은 가치 있는 새로운 사물에 대한 필
요성을 가지고 있다.
 그러나 그것들을 발견하는 것은 거의 불가능하다.
 인간의 생각은 새로운 결정을 구하는 것에 방향
지어져야 한다.

 그러나 환경에 대한 새로운 건설을 위해
 존재는 삶이 어디로 방향 지어지고 있는지 깨달아야 한다.
 그러나 사람들이 과거와 미래를 구분하지 않고, 동
물처럼 삶을 경험해야 한다고 생각하는 동안, 존재는
존재에 대한 그러한 혁신을 고려할 수 있는가?

 삶의 의미에 대한 한 질문을 하면, 여러분은 가장
실망스러운 대답을 받을 것이다.

공간이 에너지와 결정에 대한 소리를 지를 바로 그때 군중은 그들의 오래된 띠 달린 긴소매 옷을 고쳐 만든다.

조약들(Treaties)이 인류의 현재의 재앙들에 인류를 데리고 갔다.
그러나 새로운 조약들이 이러한 가치 없는 원문들 (texts)의 기초에서만이 구성되고 있다.

새로운 의복들은 효력 없는 자취에서 만들어진다.

지구 거주자들이 어떻게 자신의 길을 방해했는지 깨닫는 것은 충격적인 일이다.

기도가 아니라 엄격한 노동이 필요하다.
그리고 이것은 반복되어야 한다.

그 날짜들은 절박한 가능성을 끝장냈다.
'상인들(traders)'은 그것을 인식할 수 있는가?

요기는 지정된 시간에 나타나고
힘이 미치는 범위 안에서의 행복을 지적한다.

요기는 삶을 구축할 수 있다.
그는 가치를 알고, 공통의 측정을 알기 때문이다.
삶 자체는 요가의 필수적인 필요성을 표면으로
가져온다.
그렇지 않는다면 어떻게 그리고 무엇에 의해서
사람은 노력의 진정한 방향을 결정할 것인가?


## 242

지정된 날짜의 그 행위가 불가피하다면 모든 환
경이 순조롭다.
불은 그 길을 밝힌다.
천둥은 경계의 시간에 사람을 깨운다.
소나기는 그 길의 진흙을 씻어낸다.
반대되는 현현들은(countermanifestations) 존재하지
않는다.

우리의 광선들은(Our Rays) 그 길을 구부리고, 그 길을 안전에 대한 둥근 천정을 가지고 도약하게 한다.

우리가 그 지하 통로가 좁은 것에 대해서 주의할 때 우리는 여러분의 정보를 위해서 그것을 행한다.

길에 대한 변화가 이익이 될 때만이
우리는 여러분을 멈추게 하고
새로운 지침(지시)을 보낼 것이다.

가파른 바위를 올라가면서 피로한 것보다 산을 선회하는 게 바람직하다.

우리는 거부할 어떤 것도 가지지 않는다.
왜냐하면, 존재하는 것은 거부할 수 없는 것이기 때문이다.
그리고 그것은 적용되어야 한다.
그때에는 슬픔, 비탄이 아닌 지지(원조)만이 존재할 수 있다.

요기는 헌신과 경계함을 통해 완전무결을 이룬다
243


우리는 무엇을 언급하는가?
헌신과 경계함의 특질이다.


헌신은
억누를 수 없고
모든 것을 정복하며
창조적이고
진리의 길을 장식한다.


경계함은
모든 것에 침투하고
모든 것을 이해하며
불요불굴의 정신을 가지며
열망을 강화한다.


**헌신과 경계함을 양육할 수 있는 존재들이 많은가?**

헌신하는 맹목적인 존재는 어디에 도착할 것인가?
존재는 경계하는 반역자의 눈을 수호할 수 있는가?

그러므로 존재는 헌신하는 존재에게 모든 축을
맡길 수 있다.
존재는 모든 꽃을 경계하는 존재에게 보여줄 수 있다.

**헌신의 개념은 품위가 크게 떨어졌다.**

**사람들은 불만을 보이는 것에 느리지 않다.**
헌신하는 귀의자들에 대한 우리의 리스트는 길지 않다.
그러나 헌신은 힘든 시간에 의해서만이 측정된다.

우리의 방패는 헌신에 대한 이해일뿐이다.
사람들은 사랑, 준비됨, 열망 – 이러한 것들로
헌신 대신 인용한다.
그러나 이러한 헌신의 조각들은 연민의 웃음과 같다.

**헌신 자체는 전투를 위해 준비된 전사처럼 불타오른다.**

헌신에 대해서 가끔 말하라.
그리고 경계함을 칭찬하라.

사람들은 확증이 필요하다.


244


각 환영은 실제의 지점으로 과장될 수 있다.
그러므로 존재는 환영을 반딧불 벌레들로 여겨야 한다.

빛을 가져오는 것을 끄는 것을 누가 좋아할 것인가?

위선자의 어둠을 어떻게 강타하는지를 알라.
그러나 진실함의 각 꽃잎이 살아남게 하라.

영감의 모든 꽃으로 미래를 장식하는 것은 동 떠오름(dawn)의 그 빛이다.

과거에 대한 장식은 장례 화환과 같다.
미래에 대한 힘을 주장하는 존재는 우리의 전사다.
심지어 그의 그 힘은 미래의 보물에 의해 확대 될 것이다.

**노력의 시간은 회오리바람같이**
**또한, 되돌아가는 것은 부패함과 같다.**

모든 과거는 불같은 요가를 위해서 불태워져 왔다.

사람들의 노력은 심령적인 에너지의 성질과 일 치하지 않는다.
이 에너지의 어떤 특질은 의식의 흔적을 상실했다.

인간은 에너지의 무한성과 독립적인 행위에 대

한 그것의 경향을 깨닫기가 가장 어렵다.

우리는 에너지를 육체적인 행위와 관련해서 즉시 감지한다.
그러나 훨씬 더 현저한 어떤 것을 파악하지 못한다.

가장 현저한 것으로 여겨질 수 있는 것은 심령적인 에너지가 큰 거리에서 독립적으로 역할 할 수 있다는 것이다.

대포알이 개별적인 효과를 생산하듯이
우리의 에너지는 완전히 분리되고 오래가는 결과들을 창조할 수 있다.
물론, 내구성은 에너지 축적에 달려있다.

존재는 의식적으로 에너지를 보낼 수 있다.
그러나 그 에너지가 일상적인 방향으로 목적된다면 무의식적인 투사가 될 수도 있다.

에너지 사출물이 멀리 추진될 때

존재는 순간적으로 에너지가 고갈됨을 느낄 수 있다.

그러나 이 요소를 아는 존재는 혼란되지 않을 것이다.

자신의 의식으로 전송 행위를 유지할 것이다.

# 요기의 심령적인 자석과 물질적인 자석

 여러분은 특별히 중요한 장소 위에서 선회하는 구름에 대한 전설을 들었다.

 이것의 근원에 에너지의 같은 투사가 존재한다.

 에너지의 이 투사는 너무 강력해서 물리적인 현현을 창조할 수 있다.
 왜냐하면, 이 원소들과 에너지의 융합은 가장 비일상적인 결합들을 만들어 내기 때문이다.

 그러나 이 분리된 에너지의 활동 기간 동안, 존재는 보물의 고갈에 대한 자연적인 결과로 그것을 받아들이면서 어떤 피로를 기대해야 한다.

 늦추어짐을 허용하지 않는 환경에서, 그 분리된 에너지는 작용한다.

새로운 구조는 가장 가까운 의식들을 끌어당긴다.

그 (에너지가) 발송된 것들은 용기와 경계함과 자원이 풍부함을 가져오면서, 보조적으로 속도를 증진한다.

가끔 받은 존재도
보낸 존재도
무엇이 일어났는가 알아차리지 못한다.

영을 분리함은 에너지의 발송을 일으킨다.
그 에너지는 전송을 통해서 역할 하며 동시에 그것을 보낸 존재는 피로한 것처럼 이완된다.

얼마나 많은 그러한 보내짐이 공간을 통해서 속도를 높이고 있는가?

그것 중 어떤 것들은 새로운 행성들의 토대를 구성하지 않겠는가?

여러분이 하나의 횃불을 놓으면
어둠 속에서 많은 벌레가
즉시 그 둘레에 모인다.

여러분이 심령적인 에너지를 표현하면
작고 큰, 멀고 가까운
다양한 상태가 즉시 나타난다.

심령적인 에너지는 진정한 자석이 된다.

금속 자석과 심령적인 자석이
같은 에너지로 작동한다.
이 사실을 알게 된 많은 이들은 놀랄 것이다.

의식의 이 근본적인 에너지는
모든 것에 침투하는 불의 그 원소에 의해서 보급된다.
그것은 식별하기 어렵다.

그러나 발전된 의식에 의해서
우주적으로 추진되거나 모인다.
분명한 결과를 확인하는 데 깊이 관찰할 필요도 없다.
그래서 존재는 가장 대조되는 영역들을 하나의
근원에 연결할 수 있다.

어떻게 우주적인 에너지들의 방대한 숫자 안에서
어떤 것들이 생각되지도 않는 센터들에 영향을 주어
자연의 다양한 왕국을 결합하게 하는지 이해할
수 있겠는가?

**그래서 하나의 암석이 인간의 의식에 접근한다.**
**현대 과학은 자석의 실체를 설명하는 것을 피한다.**

대양의 파도처럼
의식의 파동들은
공간에 창조의 이미지들을 새긴다.

아주 다양한 물질 속에서
그 자력 흐름은 관찰되지 않는다.

그러나 대중의 생각은 이미 (그것에) 친밀하다.

보이지 않는 원인에서 감염되는 것 같이
비슷한 생각들이 퍼진다.

어떤 힘이 그것들을 모으고
방향 지우고, 강화한다.

의식을 깊게 하기 위해 머리의 왕관 위에 자석을 사
용했던 존재들은 위대한 가르침의 조각들을 알았다.
그들은 다양한 지역에서 자력 파동을 수집하면서 심
령적 에너지에 대한 축적을 강화했다.

존재는 여러 흐름을 결합해 의식을 재생할 수 있다.
이를 위해 열린 마음 상태를 최우선으로 배워야 한다.
그것이 의식 발전을 위한 첫 번째 상태다.

7의 문을 지키는 존재는 슬퍼했다.

"나는 끝없는 기적들의 흐름을 가지고 사람들을 방문해 왔다. 그러나 그들은 인지하지 못한다. 나는 새로운 별들을 제공한다. 그러나 그들의 빛은 인간의 생각을 변화시키지 못한다. 나는 나라들을 바다 깊숙한 곳에 던져 넣는다. 그러나 인간의 의식은 정적 속에 남는다. 나는 산을 세우고 진리의 가르침을 세운다. 그러나 사람들은 부름에 자기 머리를 돌리는 것조차 거부한다. 나는 전쟁과 역병들을 보낸다. 그러나 테러는 사람들을 생각하게 하는 추진력을 주지 않는다. 나는 지식의 즐거움을 제공한다. 그러나 사람들은 그 신성한 잔치에서 죽을 만든다. 나는 인류를 파괴에서 보류하는 더 이상의 징조를 가지지 못한다."

가장 고귀한 존재가 문들을 지키는 존재에게 말했다.

"건설자가 그 건물의 토대를 놓을 때, 그는 그것을 그 구조 위에서 일하는 사람 모두에게 선언하는가? 이들 중 가장 적은 존재들이 주어진 치수들을 안다. 그리고 단지 소수에게 그 건축물의 목적이 드러난다. 과거 토대들의 돌들을 파는 존재들은 새로운 단 하나의 토대를 이해하지 못할 것이다. 그러나 건설자는 자신의 일꾼 중 자기 계획의 진정한 중요성에 대한 깨달음이 존재한다 해도 슬퍼해서는 안 된다. 그는 단지 이 워크를 적정 비율로 배분할 수 있다."

그래서 사람들의 의식에 대해서, 우리는 (그 계획을) 알고 있거나 경청할 수 없는 존재들은 가장 낮은 워크만 성취하리라는 것을 안다.

이해하는 존재를 만 명의 성인처럼 확고하게 만들어라. 그리고 새겨진 것들처럼, 이 징조들은 그 앞에 펼쳐질 것이다.

## 요기의 목표가 클수록 수영해야 할 부조화는 커진다
### 248

　존재는 심령적인 에너지가 유리한 모든 것(이익이
되는)을 자석처럼 모은다면 **장애물들이 주는 혜택
을 어떻게 이해할 수 있는지 질문받을 수 있다.**

　큰 배가 속력을 낼 때
파도 저항은 커진다.

　우리가 노력하면 많은 장애물이 생긴다.
**우리와 반대되는 의지에 속하는
예측 못 한 소립자들을 끌어당긴다.**

　그것들이 매우 강하다면
우리의 일격은 발전한다.

　그 맞서는 흐름은 강력해야 한다.
그때 우리의 불꽃이 불러일으켜지기 때문이다.

불타는 것은 유용하다.
그러나 대화재는 위험하다.

불탄다는 것은
센터에 대한 불꽃의 결정 형태가 유지되는 때를
의미한다.
대화재는 센터가 활활 타는 때를 의미한다.

어떤 사람이 어떤 환경 탓에 의기소침해졌다고 할 때
그는 불타오르지 않은 채로 걸었고
맞서는 흐름과 만나 의식이 혼란해졌다고 확신하라.

**혼란의 순간을 식별하기란 어렵다.**
**그것은 자신의 모든 행위에 해독을 끼친다.**
그러나 발걸음이 확고하다면
반대 세력들은 이로울 수 있다(유익함을 가져온다).

반대되는 것들은 번개를 생산한다.
천둥소리는 멀리 있는 산도 흔든다.

아무것도 없는 것에서 아무것도 없는 것이 태어난다.
그러므로 사람들에게 여행의 안전을 빌면서
그들이 아무것도 없는 것을 피하게 하라.

미래는 깨달음의 번개들로 구축된다.
이러한 불꽃들의 힘은 반대되는 힘에 달렸다.

**그러므로 성공은**
**정지한 물 위에서**
**물통을 타고 여행하는 것이 아니다.**

우리가 '수영'하라고 말할 때는
여러분이 그 대양을 건너는 시도를 해야 한다는 뜻이다.

거대한 파도들은 여러분의 원기를 북돋을 것이다.
그것은 강력함의 시험이
단순히 힘이 성장한 것 아니겠는가?

여러분이 절벽을 가로질러 걸을 때
불가능한 것을 행하고 있다.

요기는 손이 아닌 의식으로 세상을 창조한다

그러나 여러분은
이미 절벽을 가로질러 걸었고
미소 지었다.

여러분도 알듯이
나는 꿈에 대해 말하지 않는다.
이미 시험 되어온 것을 말한다.

그리고 그에 대해서는
증인들이 존재한다.

대담함은 그 길에 대한 지혜일 뿐이다.

그렇지 않다면 닫힌 문을 여는 각 존재는 이미
영웅이 되었을 것이다.
그 문턱 뒤에 무엇이 기다리고 있을까?

아그니 요기는 이것을 보고 미소 짓는다.


249


우리는 '인간의 손에 의한' 것에 대한 이해를
확언할 것이다.

**우리는 왜 계속
인간의 손에 의한 행위의 필요성을 주장할까?**

인류의 가능성들에 여러 가지 정묘한 에너지를
더하는 것은 더욱 단순하게 보일 것이다.

그러나 물질의 요점은 의식에 있다.

그 정묘한 에너지들이 실현되지 않는 한
그것들은 사람에게 유용하지 않다.

의식적으로 실현되지 않은 에너지는

파괴적일 수도 있다.

억제되지 않는 원소처럼
깨닫지 못한 에너지는
모든 환경을 파괴할 수 있다.

왜냐하면, 깨달음은
거의 마스터함에 의한 것이기 때문이다.
그리고 그것은 이미 공통으로 측정되는 것이다.

인류가 에너지의 실체를 깨닫기 시작할 때까지는
인간의 손에 의한 토대를 주장하는 것은 필수적이다.

우리는 가능성에서 철수하지 않는다.
우리는 현재 상태에서 출구를 제공한다.

지금은 둘러쌀 수 없는 것
우리에겐 아주 가깝지만, 묘사할 수 없는
에너지들의 사슬에 익숙해져야 하는 시간이다.

소금이 식탁 위에 있다고 해서
우리가 이미 그것을 맛보았다는 의미는 아니다.


250


요가는 많은 개념에 빛을 던진다.

존재는 영이 욕구에 따라 환생할 때
욕구 없이 존재할 수 있는가?

욕구들은 움직임의 불꽃과 같다.


요기가 욕구에서 벗어났다는 것은 무슨 의미인가?
정확한 의미를 알아보자.


한 요기는 욕구의 가능성에서 자유롭게 되는 것이
아니라 욕구의 부담으로부터 자유로워진다. 그는
욕구의 노예가 아니기에 자신이 자유로움을 느낀다.

목적의 적합성의 길에서
요기는 가장 본질적인 것의 이름으로
욕구들을 식별하고 포기한다.

변화를 위한 이 능력은
요기의 자유로움을 창조한다.
어떤 것도 그의 진보를 방해하지 않는다.

생기 없는, 실패한 욕구들이
인류를 구속하는 사슬이 된다.

인간만이 분리할 수 없는 사슬로 자신을 묶는다.

부주의 또는 이질적인 카르마가 욕구들을 감염시킨다.
그래서 사람은 진보 대신 유연성을 분실한다.

그 울부짖는 벽 옆에 서 있는 존재들을 주목하라.

무엇이 그들의 길을 저지했나?
어떤 힘이 이 세상에 대한 깊은 생각과 이해에

서 등 돌리게 했는가?

가장 작은, 거의 구별할 수 없는 욕구가 부담을 지웠으며 그들의 눈을 감게 했다. 그들의 세상은 얼마나 단조로운 것이 되었는가?

## 요기라는 존재의 가치

기생하는 동식물처럼
욕망은 그들의 에너지를 고갈시킨다.

욕망은 벌레이며 사슬이다.
욕망은 불꽃이고 날개다.

자유로워진 존재는 높이 올라 깨달음에 이른다.
노예가 된 존재는 절망 속에서 울부짖는다.


251

삶에서는
파괴할 수 없는 많은 개념이 있다.

**개념들은**
**진정한 의미로 되돌아가야 한다.**

고독에 대한 이해도 그러하다.

요기는 육체적(물리적)으로 홀로 있어야 한다고 어디에서도 말하지 않는다. 그러나 영에 있어서는 (in spirit) 고독이 불가피하다.


요기는 자신을 신성하게 하면서
자신의 개별성(individuality)을 결정화한다.


그가 더욱더 아낌없이 줄수록
영향받지 않는 상태로 남는다.


존재는 소리와 색깔의 진정한 상호 관련을 조사해야 한다.


한 존재의 에센스가 빛을 방사할 때
빛을 발광하는 것이라고 불리는 심령적인 에너지 발전의 한 단계가 존재한다. 이 빛의 공명은 멀리 떨어진 세계들에 대한 깨달음에 접근하는 한 단계다.

녹색을 관찰하라.
그것은 에센스의 인지다.


마찬가지로 공간에서 똑같이
기대되지 않은, 다른 힘들이 모인다.
그 광선들의 현현은 공간의 불에 대한 다리와 같다.


주는 존재는
불꽃이 그러하듯 파괴될 수 없다!


자신을 빛으로 채우는 존재는
빛을 향해 노력하고 있다!



252



생명을 가치로 판단하는 존재는
영웅이 되지 못할 것이다.


목숨을 쓸모없이 던지는 존재는

영웅이 되지 못할 것이다.

영웅은 이 세상의 건설을 위해 자기 육체를 제공하는
것을 준비하면서 조심스럽게 (체의) 그릇을 나른다.

다시, 같은 반대의 형평의 추를 말하자.
요기는 이것을 이해한다.

그는 자제의 가치를 이해할 것이고
그것을 탐욕스러운 것과 결합할 것이다.

영웅은 성취에서 만족할 줄 모른다.
행위에 배고파하며 각 시간에 그만둘 준비가 되어 있다.

영을 위해 행위 하는 동안에도
자신을 지구에서 떼어놓지 않는다.

억제되지 않으며
절대 후퇴하지 않으면서
자신이 시작한 것을 떠나지 않을 것이다.

개인적인 이득을 위해 행위 하지 않을 것이다.

자신의 만족과 전체의 선(the General Good) 사이를
구별하기 위해 이것을 깨닫도록 하자.

자기만족과 이 세상의 진보를 위한 노동 사이의
경계는 좁다.
위대한 존재만이 그 내적인 동기를 구별할 수 있다.
위대한 의식만이 충돌하는 판단들을 바라볼 것이다.

논리는 많은 말에 독성을 주었다.
하나의 결정이 그것들의 의미로부터가 아니라
말들의 교환으로 이른다.

그 가르침이 영의 충만함으로 받아들여질 때
존재의 눈을 열 수 있다.

존재는 그 가르침을
장식된 마루 타일처럼 무시할 수 있다.
그것의 디자인은 어둠 속에서 보이지 않는다.

그것을 구별하려면 빛이 필요하다.

어둠 속에서 디자인은
중요하지 않은 것으로 보인다.
경박한 춤을 위해서라면 알맞을 터.

가장 신성한 상징들은 무지의 발바닥으로 밟을
수 있다.

## 장애는 곧 성공이다

눈이 아닌 의식이 주의를 촉구한다.
우리는 어떤 방식으로 스승의 워크를 방해할까?
스승의 이름으로 포기하는 즐거움은 빛나는 무지개와 같이 된다.


"주님이여, 그것들이 당신에게 쓸모 있다면 나의 소유물을 받으소서!"



253



장애물들에 대해서 많은 것들이 언급된다.
그러나 그것들의 용도에 관해서는 거의 언급되지 않는다. 장애물에 대한 적용의 이해는 워크에 즐거움을 불어 넣을 것이다.
그러나 하나의 장애물이 나타나자마자
사람들은 그들을 위해 창조된 이익(장점)을 잊으

면서 자신의 감각을 생각하기 시작한다.

 사람들은 오래된 수단으로 모든 것이 일상적인
방식으로 행해지는 것을 선호한다. **그러나 우리는**
**기대되지 않는 행위와 비슷한 결과를 선호한다.**

 어떤 것이 그들에게 가장 일상적인 사람들에 대
해서 일어난다면 사람들은 행복하다.

 그러나 우리는 그들이 더 위대한 성공을 하기를
바란다. 그들에게 진정한 해악을 측정하는 것을
가르치고, 발생하는 것에 대한 유용성을 측정하는
것을 가르쳐라.

 사람들이 비일상적인 방법을 피하고 있을 때
비일상적인 성공의 흐름을 전송하기는 어렵다.

 사람들이 사치로 둘러싸였음을
우리는 모두 안다.

사치가 빼앗은 것에 대해
그들이 알 수 있었으면 한다!

사람들은 육체의 습관들이 영의 습관 속으로 새겨졌
다는 것을 잊으면서 관습적인 습관을 계속하길 원한다.

그 영은 약해지고
대담한 행위를 두려워하기 시작한다.

그래서 사람들은 똑같은, 판에 박힌 즐거움과 슬
픔을 가지고 진부해진다.

환영의 장애물이 속도가 빠른 성공으로 변화되는
것을 알아가면서 장애물에 기뻐하는 것을 배우자.

그리고 이 성공은
장애물이 잡은
넘치도록 가득 찬 그물과 같은 것이다.

그러므로 우리의 눈을 그 환경으로 돌리자.

장애는 곧 성공이다    93

그리고 위험하게 하는 것들로부터
우리는 스승에 대한 헌신을 통한 것으로만 보호
됨을 이해하자.

그러나 가끔 우리는 큰 워크에서는 스승을 신뢰
하나 작은 워크에서는 확신하지 않는다.

가끔 우리는 거대한 장애물들을 보지만, 수평선에서
의 많은 작은 장애물을 간과한다. 그래서 알아채지
못하면 작은 전갈은 큰 전갈이 하듯 공격한다.

독수리의 눈이 산을 구별하기 위해서가 아니라
모래 속 작은 곡식알을 구별하기 위해 필요하다.


254


이미 여러분이 그 전투의 의미를 이해한다는 것
은 즐거움이다.

전체의 군단들이 그 전투에 이끌려진다.
그러나 그들은 언제가 휴식이고 언제가 위험인
지 알지 못한다.


태양이 지기 전에 작은 곤충들이 모여든다.
그러나 그것들의 목적이 무엇인가?


존재는 어디에 즐거움이 있고 어디에 두려움이
있는지조차도 구별할 수 없다.


이 세상의 전투는 모든 존재를 흡수한다.


일어난 것에 대한 중요성을
거의 모든 사람이 이해하지 못한다.


"우리가 내일을 기다리자."


그렇게 사람들은 생각한다.
그러나 그들의 내일은 단지 정오 후에 일어난다.

다음의 것들은 축복받는 존재 덕분이다.

과거에 그 축복받은 존재는
Rajagriha의 지배자를 방문했다.
지배자는 자신의 관심을 자신이 접대하는 방의 때 묻지 않음에 환기했다. 그러나 축복받은 존재는 말했다.

"오히려 여러분의 잠자는 방, 욕실, 난롯가의 청결을 보여주어라. 접대실은 가치 없는 많은 존재에 의해 오염되었다. 그러나 거기, 여러분의 의식이 창조되는 곳을 더럽히지 않게 하라."

# 지혜를 이해하는 것과 동의하는 것의 차이

축복받은 존재는 이어 말했다.

지혜를 이해하는 존재들과 동의하는 존재들을 구별하라. 가르침을 이해하는 존재는 그것을 삶에 적용하는 데 주저하지 않는다.

동의하는 존재는 고개를 끄덕거리며 그 가르침을 탁월한 지혜라고 칭찬할 것이다. 그러나 지혜를 삶에 적용하지는 않을 것이다.

동의한 많은 사람이 존재한다.

그러나 쇠퇴하는 숲처럼

그들은 열매를 맺지 않고 그림자를 가지지 않는다.

부패만이 그들을 기다린다.

이해하는 존재들은 거의 없다.

이해한 존재들은 스펀지처럼 귀중한 지혜를 흡수하고, 이 세상의 두려운 것들을 귀중한 액체로 정화할 것이다.

이해하는 존재는 가르침을 적용할 수밖에 없다.

지혜의 목적의 적절성을 깨달아서 그것을 삶의 해결책으로 받아들이기 때문이다.

주 – 이해의 정도는 평상시 모든 것에 대한 실천과 실행력의 정도이고 평상시 많이 실천했던 사람은 지혜를 보고 듣고 느끼는 순간 지혜의 중요성과 필요성을 '온몸으로 자각한다.'

동의하는 존재들에게 많은 시간을 낭비하지 마라. 그들이 처음에 첫 번째 부름에 대해서 적용하는 것을 보이게 하라.

그렇게 초심자를 향한 목적 적합성의 태도는 축복받은 존재 덕분으로 생각이 된다.

그 그릇(체)을 가끔 텅 빈 우물로 뛰어들게 하는 것은 적절하지 않다.

씨 뿌리는 존재는 씨앗을 노출된 바위에 뿌리지 않는다.

동의하는 존재는 즉시 그 혜택을 받아들일 것이다.

그러나 처음의 장애물에 두려워할 것이다.
그러므로 장애물들을 통해서 시험하라.


## 256


정묘한 에너지들은 섬세한 직물과도 같다.
그 가치를 아는 존재만이 가장 정묘한 직물을
입을 수 있다.


준비되고, 불타는 영을 구별하라.
영의 선물을 받아들이지 않는 존재는 쇠퇴한다.


여전히 영원한
무지를 통해서
어두운 존재들은
자기 자신을 파괴한다.

영의 고독은 미래 형태들에 대한 개념을 생산한다.

어둠의 영은 어떻게 하면 인류를 더 확고하게
지구에 묶을지를 깊이 사유했다.

"사람들이 그들의 관습과 습관을
유지하도록 허하라.
습관적인 형태만큼 인류를 구속하는 건 없다.
그러나 이 방식은 대중을 위해서만이 적절하다.
고독은 훨씬 위험하다. (어둠의 존재의 관점에서)
고독 속에서 의식은 밝아지고(깨달아지고)
새로운 형태들이 창조된다.
존재는 고독의 시간을 제한해야 한다.
사람들은 홀로 남게 해서는 안 된다.
나는 사람들에게 반영을 제공하고
그들이 그들의 이미지에 익숙하게 할 것이다."

어둠의 하인들은 사람들에게 거울을 가져왔다.

우리에게 접근하는 각 존재는 다른 하나의 상태로 통과되는 과정을 심상할 수 있다.

존재는 여행하는 법을 배운 존재로 비유할 수 있다.

반면, 숙련되지 않은 존재는 배와 부두를 연결하는 판을 건너는 것도 두려워한다.

지혜를 성실하게 실천하는 것이 열쇠다
259

삶은 폭포와 같이 쇄도한다.
그러나 많은 사람이 이 움직임을 인식하지 못한다.

휴식을 위해 노력하는 존재들의 삶은 무덤과 같다.

휴식은 무엇인가?
이 개념은 어두운 존재들이 발명했다.

그들이 휴식을 언급할 때
어떤 명백한 조심성을 사람들이 드러내는가?

그들은 휴식을 휴양으로 인식한다.
그 휴양은 항상 지구적인 즐거움과 연결된다.

그러나 이 게으름의 즐거움은 우리의 즐거움이 아니다.

언제 자연이 비활동적인가?

자연의 부분인 우리는 같은 법칙을 따른다.

존재는 항상 달릴 필요는 없다.
또한, 항상 그 앞에 있는 철의 빗장을 볼 수는 없다.
중단 없이 활동하는 식물의 생명력으로 비유할 수 있다.

우리는 이미 언급한 주제를 반복 논의하지 않는다.
그러나 존재가 우리의 강론을 따른다면
상승하는 나선형을 주목할 것이다.

한 번이라도 하위 주석(해설)이 허용된다면
그것은 나선형의 파괴(중단)를 초래할 수 있다.
존재가 크게 비약해서 설명하면 같은 결과가 일어난다.
다시 파괴(중단)가 일어날 것이다.

그러나 삶의 모든 라인은 고의로 분리할 수 없다.
이는 모든 현현에서 분명하다.

질문은 단 하나다.
의식은 꾸준히 상승할 수 있는가?

우리가 휴식을 생각의 정화라고 이해한다면 그렇다.
그렇게 우리는 그 주요한 적을 피할 것이다.

씨 뿌리는 존재는 노출된 바위에 씨앗을 뿌리지 않는다.
동의하는 존재는 즉시 그 혜택을 받아들일 것이다.
그러나 첫 장애물을 두려워할 것이다.
그러므로 장애물을 통해서 시험하라.


## 261


각 존재는 저마다의 적을 가진다.
적의 중요성은 그 사람의 중요성을 결정한다.
마치 그림자가 대상의 크기에 달린 것처럼.

존재는 적들에게 관심을 둬서는 안 된다.
그들을 격멸하겠다 생각해서는 안 된다.
그림자 없는 사람은 존재하지 않는다.

위대한(Great) 존재로 불렸던 Akbar는
자신의 적들을 신중히 고려했다.
그가 총애하는 의원은 적들의 목록을 유지했다.

Akbar는 가끔 물었다.

"어떤 가치 있는 이름이 그 리스트에 나타나지 않았나? 내가 가치 있는 이름을 발견할 때는, 나의 인사를 (적으로) 위장해 있는 그 친구에게 보낼 것이다."

Akbar는 더하여 말했다.

"나는 삶에서 신성한 가르침을 적용할 수 있어 기쁘다. 사람들에게 만족을 줄 수 있어서 기쁘다. 위대한 적들의 그림자에 의해 빛으로 향해졌다는 것이 기쁘다."

그렇게 적들의 가치를 알면서, Akbar는 말했다.

## 존재가 성장하면 그의 그림자도 커진다

하나의 가르침은 그 가르침의 친구들에 의해 결코
상승하지 못했다.
적이 그림자면 비방은 소집 나팔(긴급 행동의 요청)이다.



### 262


의식은 움직임의 아이디어를 받아들인 형태들을 통해서
즉, 상징들의 결합을 통해 가장 잘 동화한다.

**존재는 그 의식의 상징을 평가해야 한다.**
**물론, 배의 상징은 현대 증기선의 상징보다는 훨**
**씬 좋다.** 왜냐하면, 배의 불안정성은 구성 요소의
위험에 훨씬 긴밀하게 대응하기 때문이다.

불안정성의 씨앗 상태에서조차도
영은(the spirit) 구성 요소들의 결과에 노출된다.

그러므로 모든 걸 구속하는 그 불에 친구가 되는 것은 좋은 것이다.


## 263

스승은 결코 어떤 대상을 하찮게 여기지 않는다.
**만약 그렇게 되면 형식화될 위험이 있다.**


## 264

스승과 학도의 다양한 상호 관련의 실현에 대한 의미는 결정이 된다.
가르침에 대한 접근 단계들이 정확하게 비슷하지 않다면
첫 단계에선 많은 이끌림이 존재하고
다음 단계에선 많은 책임감이 존재한다.

**아스트랄 세계에서 보통의 이해력을 가진 존재들은 정상을 향해 노력하지 않는다는 특징이 있다.**

보통의 이해력을 가진 존재는 그들에게서 고통을
면하게 한다.
동시에 그들에게 자기를 희생하는 워크의 의무를
놓지 않는다.

그와 같은 것이 영의 성장에서도 관찰될 수 있다.
처음의 부름들은 즐겁고 호의적이다.

보호되는 존재의 상태는 책임지는 존재가 아니다.
그러나 의식이 성장하면
그 영은 특별한 임무에 어울리는 가치 있는 존재가 된다.
각 임무는 오래된 세속적인 논리에 적대적이다.
그래서 어려움과 위험에 노출된다.

장애물 정복을 기뻐하는 것을 배우는 존재는 거의 없다.
심지어 과거의 보통 의식 상태를 아쉬워하는 존재가 많다.

명령은 간결해진다.
워크는 독립적인 행위에 달렸다.
친구는 드물어진다.

방해물은 접근할 수 없는 산처럼 쌓인다.

반면에, 승리는 겉으로는 식별할 수 없다.

가장 정묘한 에너지들의 효과(결과)는 분명하지 않다(곧 알 수 없다).

소위 신성한, 간헐적인 고통이 존재를 고통스럽게 한다.

영(the spirit)의 보이지 않음과 전송들은 설명될 수 없다.

그러나 모든 것 위에서 전체 선(the General Good)을 위한 욕구의 성취가 상승한다.

공간으로 제한되지 않는 영적인 협력이 성장한다.

멀리 떨어진 세계들에 속한 경쟁을 통해 환경과의 관계는 변하고, 공간의 워크(spatial work)는 텅 빈 소리가 되는 것을 중지한다.

할당받은 임무들은 즐거움이 된다.

그것들은 존재 자신의 양도 될 수 없는 노동이 되는 것처럼 된다.

그것은 그렇지 않은 것으로 될 수가 없다.

물론, 이 즐거움은 염소 장난에 속하는 것이 아

니다.

환경들에 대한 평가는 얼굴을 단호하게 만들고,
삶은 변형된다.


그 높은 곳들에서
존재는 지구적인 용(Dragon)이 감긴 것들을 관찰한다.


처음의 부름으로 이미 전송된 두려움 없음은
존재들 빛의 새로운 파동으로 더욱 가까이하게 한다.

## 영의 불멸성

### 265

과거 Akbar의 궁중 역사가는 지배자에게 말했다.

"저는 군주들 사이에서 해결할 수 없는 문제를 관찰했습니다. 어떤 통치자는 사람들과 자신을 멀리 떨어뜨렸습니다. 그들은 무익했기에 해임됩니다. 또 다른 통치자는 백성의 일상을 가까이했습니다. 백성은 통치자를 친숙해했으며 결국, 통치자는 평범한 자가 되어 해임되었습니다."

### 266

베단타에서, 영(the spirit)은 신성한 것으로 남는다고 정확하게 언급했다.

영의 불같은 씨앗은 최초의 조화 상태로 남는다.

왜냐하면, 그 원소들의 에센스는 불변이기 때문이다.

그러나 그 씨앗의 방사는 의식 성장에 의존하면서 변화한다.

그렇게 존재는 영의 씨앗이 4원소 중 하나인 불의 한 조각임을 이해할 수 있다. 그리고 그 둘레에 축적된 에너지는 의식이다.

이로부터 알 수 있는 것은
베단타가 그 씨앗에 관심을 가졌고
불교는 그 체들의 완벽함을 언급했다는 것이다.

그렇게 움직이는 것과 움직이지 않는 것이 완전히 서로 관련된다.

인류를 진화로 방향 정했던 부처님은 변화의 본질을 지적했고, 베단타는 그 토대를 해설했다.

여러분은 불꽃에 화학적인 성분을 더해 색과 크기를 변화시킬 수 있다.

그러나 불의 최초 본질은 변하지 않는다.

나는 베단타와 불교 사이에서 근본적인 모순을 보지 못했다.


<h2 style="text-align:center">267</h2>


인도에는 정묘한 에너지들이 생명으로 들어간다는 지식이 존재한다.

**존재는 이 현현들에 대해 과학적으로 이해할 준비를 해야 한다.**

어둠은 그 에너지들의 특질을 헤아릴 수 없이 낮춘다. 그러나 열린 의식은 그 에너지들의 부분을 받아들일 수 있다.

어둠의 구름은 태양 광선을 차단하나 빛과 열의 부분이 지구에 이른다.

모든 가르침엔 모순이 없다.

일상적인 실험 방식은 적절하지 않다.


268


보이지 않는 힘은 보이는 힘보다 강하다.

스승에게 다가가는 것은 파기할 수 없는 흐름이다.

전체 삶에 영향을 주는 공간에 대한 흐름을 느끼는 것은 진실한 것이다. 이는 반박의 여지가 없다.

사람들이 지구적인 용(Earthy Dragon)의 해(year) 이후로 그 흐름에 대한 밀도를 말하지 않았다는 것이 가능한가?

그 용의 꼬리는 자석과 같다.
그러나 그것의 희망들은 헛된 것이다.

존재는 지구 위에 기어다니는 동안에는 유익한

에너지를 받을 수 없다.

정확히 이 해(year)에 용에 대한 상징이 보내진다.

존재는 지구의 거주자들의 손을 주의해야 한다.

10년 동안
존재는 정묘한 배반 행위들을 예상할 수 있다.

천둥과 번개 가운데에서 새로운 시대가 시작된다.
무엇이 폭풍우의 현현을 불러일으키나?
비일상적인 무감각이다.

이 새로운 에너지들의 출현이 이미 가까이 있을 때
이 10년이 그것 자체를 얼마나 지루하게 질질 끄는가!

## 신성한 임무 수행

### 269

스승은 가끔 제자와 매우 어려운 관계에 처한다. 학도는 스승의 모든 명령을 따른다고 약속하지만 존재는 명령받자마자 그것을 변경하는 반응을 보인다.

스승은 그가 활동하지 않음(게으름)으로 비난받을 때 비슷한 어려움을 경험한다.

궁수가 긴장한 채 화살 쏠 준비를 하는데 뒤에서 왜 안 쏘냐는 말을 듣는다면 어떨지 상상해 보라.

어린이는 이유를 인식함 없이 안내하는 손을 따른다. 그러나 어른은 자신의 일시적인 기분을 맞추기 위해 어떤 것이 준비되는 반응에 더하는 시도를 한다.

존재는 그러한 사람들을 이렇게 비유한다.

집이 불났을 때 대체할 수 없는 책의 사본들을 무시하고 자기네가 소중히 하는 침구류를 구하는 사람이라고.

**어디에서 명령에 대한 불경이 오는가?**
**불신에서부터다.**

스승의 선물이 어떻게 즉시 받아들여지고, 스승의 최고의 성직 수임들이 무시되는지 이해할 수 없다.

경솔한 마음 때문에, 미리 계획된 전송들이 얼마나 많이 거부되는가, 얼마나 많은 유용한 행위가 파괴되는가?

한 손으로 존경이 표현된다.
다른 손으로는 그 진주들을 절벽 위로 흩어버린다.

공간을 개인적으로 보내는 것들로 침투시키는 것은 공간의 감염임을 잊는다.

경험을 가진, 선택된, 안내하는 존재는 학도에게 굴욕을 주지 않는다. 그러므로 존재는 확고한 신뢰로 협력을 아주 크고 귀중하게 생각해야 한다!

여러분이 스승이 되었을 때
하나의 명령에 대해서 즉각적인 시행을 주장하라.
명령을 자주 하지 마라. 진부해진다.
그러나 그 워크가 그것을 원한다면 간결하게 명령하라.
하나의 명령은 취소할 수 없는 것임을 알려라.

존재는 독립적인 노동을 협력과 결합하면서 더욱 단순하게 따라야 한다.
왜곡된 명령은 레일을 이탈한 기차와 같다.
그 파동을 파괴하는 것보다 선물을 받아들이지 않는 것이 더 좋다.

# 270

여러분은 Indra(인도 Veda의 주신, 불교의 제석천)의 왕좌에서 상승하는 열(rising heat)에 대한 전설을 들어보았을 것이다.
그 근원에는 정신 물리학의 현현이 있다.

심령적인 대기(psychic atmosphere)의 특별한 긴장의 현현은 순수한 물리적인 반사(physical reflexes)들로 나타난다.

생생한 반작용은 불같은 에너지에 밀려든다.
그리고 다시 그 균형을 세우는 것이 필수적이다.


# 271

적들의 공격 동안, Akbar는 왜 그렇게 많은 공격이 존재했는지 질문받았다. 그는 답했다.
"적들에게도 일하는 순간을 주어라."

### 272

'신에 미친(Mad in God)'이 무슨 뜻인가?
**왜 고대의 예언자들은 미친 사람들이라고 불렸나?**

그들을 모든 다른 존재로부터 정확하게 분리한, 신
뢰되었던 지식의 불 때문이다. 즉, 그들은 생각의 진
부한 경향으로부터 분리된 가치 있는 특질이 있었다.

신성한 샴발라를 여는 아그니 요가의 불
### 273

사람들은 원소들의 조잡한 현현에 대해 조치할 수 있다.
그러나 그 새로운 에너지들의 출현 동안 에너지에
대한 행위 방법들을 순수하게 하는 것이 필수다.

**최근까지도 사람들은 나무 밑에서 번개를 피했**

고 두려워서 도망갔다. 그러나 지금은 자기 보존의 실제적인 방법을 찾았다.

그와 같은 것이 정묘한 에너지들의 경우에서 발생할 것이다.

그러나 이에 대한 적절한 시기의 선견지명으로 존재는 수많은 상실을 피할 수 있다.

존재는 어떻게 그 새로운 에너지들에 주의를 소환할 수 있나?

확실한 지식(신뢰할 수 있는 지식)은 날카로운 시야를 얻게 한다. 사람들은 곧 자신의 신뢰할 수 있는 지식에 따라서 분리될 것이다.
존재는 열린 의식을 가지고 가능한 한 날카롭게 그들을 구별해야 한다.

교육, 경험, 재능이 아닌 정확하게 신뢰할 수 있는 지식의 불이 샴발라로의 직접적인 길을 연다.

신뢰할 수 있는 지식의 불이 매일의 삶 중에서 새로운 징후들의 독특한 특질을 지시한다.

기관들이 특별한 관심을 가지고 그러한 민감한 공동 사역자들의 삶을 보호할 것임을 존재는 예견할 수 있다.
그러한 의식들은 똑바른 길에서의 이정표와 같다.

과학적인 관찰은 신뢰할 수 있는 지식의 불에 의해서 지시될 것이다.
금욕주의자, 광신도, 미신을 믿는 존재가 아닌 불의 요가(Yoga of Fire)를 아는 존재들만이 불의 방향타를 포기하지 않는다.

진정으로 그들의 희생은 위대할 것이다.
그들은 고요히 그들의 존재를 계속할 수 있지만, 그들은 항상 폭발들의 가장자리에 존재할 것이다.
그러나 휴식은 불의 자질이 아니다.
불은 항상 창조하기 위해 어떤 것을 파괴하기 때문이다.

그러한 불같은 노력은 도가니에서처럼 감각을 시험한다.

현재 왜 우리가 그 새로운 가능성과의 조우를 경계(예방책)해야 하는지 아직 전적으로 이해되진 않는다. 그러나 곧 사람들은 삶에서 설명을 두지 않는 전례가 없는 계시들을 적용하길 원할 것이다.

그때, 어떤 존재는 아그니 요가의 상징(the Signs)을 회상할 것이다.


## 274

여러분이 꿈꾸는 존재라고 불릴 때, 말하라.
"우리는 행위만을 안다."
가르침을 어떻게 확증하는지 질문받으면 이렇게 답하라.
"삶에 적용함으로써만 확증한다."
여러분이 운명(성직 수임)들을 지킴에 있어서 공격받을 때, 말하라.
"존재는 무지에 답변할 수 없다."

어떤 존재가 스승을 비방하면, 말하라.

"바로 이 밤에 당신의 돌이킬 수 없는 실수에 대해 깊이 생각할 것이다."

275

의미가 중요하지, 형태는 중요하지 않다.

자주적인 행위가 가장 중요하다.

간결함이 진보의 한 표시가 될 것이다.

우리가 두 개의 세계의 경계에 살 때, 우리는 한 이미지의 볼록 면을 안다.

메신저가 하나의 메시지를 전송할 때, 그는 그가 주는 것보다 더 많은 것을 안다.

진리의 길을 구하는 존재들은 많은 시간을 소진한다.
그러나 길을 아는 존재들은 자신의 힘을 정복을
위해 적용할 수 있다.
우리는 그들이 의기양양하게 진행하기를 바란다.
그들의 발걸음은 우리의 즐거움이다.
우리는 그들이 넘어지지 않게 양육할 준비가 되어 있다.


존재는 어려운 흐름을 통해서 살아야 한다.
항해 중인 배조차도 원소들의 장애물을 만난다.


276 이후의 내용은 생략


277


삶에서 특별한 식별력으로 물질적인 대상들의
필수적인 본질을 인식하는 존재는 성공한다.

자신을 사물의 특별한 왜곡에 적응시키는 존재
도 성공한다.

그 차이는 단지 결과(consequences)에 있다.


대상들의 본질을 깨달은 존재는 그것들에 애착
하지 않는다.

그러나 왜곡하는 존재는 대상들의 노예로 남는다.


존재가 성공하지 못한다면
자신을 저울의 잔 속에 위치시키는 대신
균형 가운데에 남았음을 의미한다.


사물의 이해 또는 왜곡의 기준은 무엇인가?

삶의 상태가 변경되었나 아닌가이다.

어떤 것도 변경되지 않았다면 생각에 대한 어떤
행위도 존재하지 않았다.

이해를 느리게 하는 존재는 성공할 수 없다.

사람 대부분은 약함과 활동력 없음에 의해 끌어
내려 간다.

그들에게 삶은 사슬과 같다.

반면에 삶은 하나의 정복이다.
성공을 보장하는 것은 행위에 있다.


278


대승불교(Mahayana)는 소승불교(Hinayana)와 밀접한
관련이 있다. **불교가 베단타와 관련 있는 것과 같다.**
대승불교는 원소(the elements)의 본질을 알고 드러낸다.
**소승불교는 원인과 결과들을 강조하고 원인들의
반복되는 발생의 회피를 가르친다. 그 가르침은
원소들의 혼란에서 온 불꽃들을 공격한다.**


존재는 이러한 이미지들을 공부할 수 있다.
그러나 원인과 결과에 집중하는 것도 똑같이 올바르다.


우리가 부처(Buddha)를 원인이라고 부른다면
마이트레야는 결과다.

## 279

자연적으로, 신기루는 실체(reality)를 드러내지 않는다. 그러나 신기루 그 자체로서는 실재다. 그러므로 마야의 반역하는 모든 왜곡을 알면서 마야의 실체를 이해하는 것은 올바른 것이다.

## 280

축복받은 존재(The Blessed One)는 3인의 스승을 말했다.
한 스승은 신성한 재능을 받았고 지구적인 노동을 포기했다.
한 스승은 재능을 받았고 삶의 이해에 대한 실마리를 상실했다.
3번째 스승은 재능을 받았고 지구에서 떠나지 않았고 이해의 실마리를 묶는 법을 알았다. 그 유용성은 타 스승들을 능가했다.

삶의 증표(the sign of life)는 십자가(the cross)이다.

## 아그니 요가의 진정한 영웅들이란?
### 281

고대의 영웅들은 현대의 영웅들과 닮았을까?

고대의 영웅들은 소진될 수 없는 열정의 비축이 필요했는가?

그들의 성취는 간결했고, 그들의 에너지를 공급하는 불의 폭발은 충분했다.

지금은 지구적인 대기 속에서 힘들의 완전한 소진과 함께, 성취에 대한 연장되는 기간은 그 에너지에 측정할 수 없는 긴장을 위치시킨다.

단 하나의 폭발에서 가장 무거운 공격, 가장 단호한 부름이 번쩍이며 나간다. 그러나 계속됨과 반복은 전체의 연속되는 흐름을 요구한다.

현재 영웅의 중요성은 어떤 영역으로부터도 영웅이 협조를 기대할 수 없다는 깨달음으로 유지된다.

그가 "나는 전투를 포기할 수 없다"라고 말할

때, 새로운 강력함을 흡수한다.

우리가 그 전투를 포기하지 않을 때, 확고한 결심과 일치하는 강력함을 강화하는 흐름을 제공할 준비가 된다. 그러나 우리는 어둠 속에서 빛을 나르는 게 얼마나 어려운지 안다. 왜냐하면, 이 빛은 그것을 전달하는 영웅에 의해서가 아니라 다른 존재들에 의해서 보이기 때문이다.

잠자는 존재들은 그 빛을 전달할 수 없다.

일반적으로, 잠을 자는데 어둠이 필요없는 존재들을 주목하라.
그들의 영의 불은 어둠을 파괴한다.
그들의 개인적인 습관을 통해서 우리는 전투자들을 재조직한다.

그러나 그들의 눈이 어둠에서 방랑하고
그들이 우울함에 전율할 때
우리는 "공간이 당신을 경청한다"라고 말한다.

씨 뿌리는 존재는 씨 뿌리는 존재로서 그리고 거두어들이는 존재가 아닌 것으로, 흩어지는 씨앗의 수를 세지 않는다.

그러나 누가 그의 노동에 더욱 즐겁게 갈까?
거두어들이는 구부러진 존재가 아닌 그 씨를 뿌리는 자다. 그의 올바른 손으로 씨를 뿌리는 존재는 널리 씨앗들을 뿌렸다.
바람은 많은 씨앗을 멀리 쓸어갔다.

그러나 씨 뿌리는 존재는 노래한다.
그에게는 들판이 비어있지 않기 때문이다.
그는 들판을 가득 채우고 떠난다.
그는 어떤 수확자가 그의 수확물을 거두어들이는지 그리고 누가 새로운 씨앗을 얻는지 무관심하다.
씨를 뿌리는 것은 가장 신뢰할 수 있는 열심히 일하는 자가 맡는다.
들판은 크다. 그러나 숙련된 손은 지치지 않는다.
우리는 듣는다.
"영웅들을 창조하라."

## 282

존재가 노여움에 소비된 시간을 측정할 수 있다면 인류는 전율할 것이다.

**인간적인 이해와 일치하는 명성은 어리석은 것이다. 우리는 그것을 편안한 걸음을 걷기 위한 신발로 써만 허용한다.**

## 283

외적인 힘들의 실증은 가장 낮은 단계에 있다. 여러분은 어떻게 존재가 공중 부양하는지 안다.

만약 모든 인류가 목적 없이 공중으로 올라간다면 어떤 광기가 따를 것인가!

여러분은 사물이 어떻게 자신의 무게를 줄이고 늘리는지를 안다. 그러나 현재 인류의 상태에서는 이 상태가 적용되지 않는다.

영의 실증(실현)을 향한 노력은 처음에는 확증되어야 한다. 존재는 의지의 힘으로 많은 현현의 해결책을 구할 수 있다.

아그니 요가의 지혜를 가벼이 여기게 하지 말라

284

서로 교차하는 흐름은 특히 해롭다.

삶에 참여하는 동안일지라도 우리는 많은 방향에서 흩어져 오는 화살보다는 한 방향에서 오는 화살을 더 선호한다.

존재는 존재의 머리 위에서 화살들이 알려지지 않은 방향에서 날아오고 있을 때 야기되는 의기소침을 쉽게 이해할 수 있다.

존재가 하나의 대상으로 공간을 침투하게 하는
것을 방지할 수 없을 때 건강을 수호하는 것이
특히 필수적이다.

혈압이 증가한다.
그리고 센터들의 긴장은 의기소침을 만든다.

**어떤 크기의 적이 이러한 인식할 수 없는 두드
리는 소리(taps-같이 미지의 것)보다도 더 좋다.**

스승은 불들이 이미 긴장되어 있을 때 특히 이
러한 기간을 주시해야 한다.
그러나 이러한 생명력의 폭발들은 피할 수 없다.
모든 긍정적인 의식하는 활동은 생각의 한 소용
돌이를 일으킬 것이다.
그리고 소용돌이의 영적인 발전이 이미 거대하
다면 억제되지 않은 파동들로부터의 반영은 압박
감을 준다.

자연스럽게, 계발되지 않은 센터들을 가진 사람은 화살이 쏟아지는 것을 쉽게 감지하지 못한다. 그러나 이는 그들이 부러움을 받을 수 있다는 것을 의미하지 않는다.

우리는 부단한 즐거움을 말한다.
그러나 즐거움은 특별한 지혜다.


## 285


사람들은 비참함을 사랑한다.
영에 관한 연구의 영역은 닫혀 있는 많은 문으로 그들을 데려갈 것이다.

사람들은 왜 자신에게 알려지지 않은 모든 것을 피하는가?
학교에서 "모든 사람과 같이 행위 하라"고 배

우기 때문이다.


영을 미지의 영역으로 돌려라!
그러한 노력은 새로운 형태의 생각을 제공할 것
이다.


286


가르침은 열린 의식을 전제하고 적용의 단계들에 의
해서 자신이 스스로 확인하는 욕구가 있음을 전제한다.
전통의 인습에 혼란된 마음은 가르침을 받아들
일 수 없다.


이질적인 사람들은 책 한 권의 유용성을 간과한다.
그들은 호기심이 있을지라도 필요하지 않다.
그들은 말할 것이다.
"흩뿌려진 씨앗들을 어떻게 관리할 수 있는가?"

그들은 자신의 체제를 넘어서는 다른 체제가 존재한다는 것도 인정하지 않을 것이다.

**워크에 대한 계산이 한 쪽에서 만들어진다.**
그러나 생각함은, 삶의 외적인 상태에 달려있다.
도시나 마을에서, 여행하거나 비행하거나 할 때 생각의 경향들을 비교하라.
그 토대와 방법들은 아주 다를 것이다.
삶의 가르침들에 접촉하고 새롭게 자신의 존재를 돋보이게 하고 실현할 필요성을 느끼는 존재만이 아그니 요가의 가르침을 이해하고 적용할 수 있다.

의심의 구름은 미로에서 나올 출구로 진리를 구하는 사람을 압박하지 않는다!

필요성의 명령은 자원의 풍부함을 존재에게 불어 넣는다. 이해할 수 없는 체제에 대한 존재의 판단을 방해하지 않는다.

주의(의식)가 설명할 수 없는 고통으로 향할 때
속박된 의식조차 아그니 요가를 기억할 것이다.

**가르침을 받아들인 사람을 몸소 보려고 노력하지 마라.**
**필수성(필요성)의 방식들은 예상되지 않는다.**

가르침을 너무 친숙하게 만들지 말라.
습득이 쉬우면 가치가 하락한다.

존재는 무지를 참을 수 있다.
그러나 가치 하락은 허용되지 않는다.

어떤 정도의 탐구는 해를 주지 않을 것이다.

평화 지음 / 15,000원 (2018.03.22)

성공에 대한 비밀을 알고 싶었던 사람들은
『시크릿』을 읽음으로써 소원을 달성하는 방법을 알고자 하는,
이른바 '시크릿'의 염원을 품었다.
하지만 『시크릿』과 같은 자기 계발 서적에는
독자가 원하는 '구체적으로 소원을 달성하는 방법'을
제시하는 것이 거의 없었다.
저자는 '시크릿'과 소원 성취에 관한 구체적인 방법을
일반인에게 제시한다.

Elizabeth Towne, 정재훈 지음 / 15,000원 (2021.07.30)

당신은 지금, 이미 성공한 사람입니다.
당신은 당신이 되려고 하는 모든 것입니다.
당신의 소원, 성공은
이 책을 참고하여 올바른 의지를 세우는 순간,
이미 달성되었습니다.

William Walker Atkinson, 정재훈 지음 / 10,000원 (2021.11.05)

생각은 물질이다.

존재는 자신이 가진 생각 그 자체다.

사업은 자신의 선한 상념을 물질계에 구현하는 신성한 행위다.

당신은 당신만의 현실을 창조하고 있다.

당신은 무언가를 두려워할 필요가 없는 존재다.

본서에서는 딱딱한 이론적 설명을 최대한 배제할 것이다.

실질적인 체험, 결과를 바탕으로 지금 당장 활용할 수 있는 방법을 제시한다.

William Walker Atkinson 지음 / 10,000원 (2022.02.14)

나의 유일한 목적은 인간 내부에 잠재하는 강력한 포스들(개인적인 자기력, 심령적인 영향력)을 계발하고 효과적으로 사용하는 수단을 알리는 것이다.

자신에게 나는 영원한 삶의 원리 일부분이라고 말하라.

신성한 이미지를 따라서 창조되었다고 말하라.

생명의 신성한 숨결로 가득 차 있다고 말하라.

아무것도 나를 해칠 수 없다.

나는 영원의 일부이기 때문이다.

『상념 포스의 활용』의 토대가 된 1900년 作 원문번역본

Joseph S. Benner 지음 / 12,000원 (2022.01.18)

이 책에 시선을 둔 그대에게, 나는 말한다.

영혼이 지치고 낙심하여 거의 희망이 고갈된 그대여.

나는 그대, 그대의 신성한 자아, 내부의 영, 그대의 영혼, 초월적 자아 곧 진정한 그대다.

이 책에 담긴 깊고 생명력 충만한 진리를 더 잘 이해하려면 고요하고 열린 마음으로 접근해야 한다.

지성을 잠재우고 그대의 영혼을 초청하여 가르침을 행하게 하라.

그대, 함께 할 준비가 되었는가?

A.E. 포우웰 지음 / 13,000원 (2022.02.23)

치유와 죽음은 왜, 어떤 원리로 일어나는가?

전기 에너지와 경락의 흐름은 프라나(Prana), 쿤달리니와 어떤 연관
이 있으며 침, 뜸의 효과는 어떻게 설명되는가?

보이지 않는 무엇이 있을까?

이를 밝힌다.

1925년에 발행된 인간의 내부 구조를 주제로 한 5부작 중 첫 번째

C.W. Leadbeater, Annie Besant 지음 / 15,000원 (2022.04.01)

생각은 실체를 가지고 있다.

우주의 법칙에 따라 아름다운 색채의 향연으로 우리 앞에 모습을 드러낸다. 살면서 품게 되는 모든 생각과 상상은 현실에 지대한 영향을 미친다.

생각이 물질계에 표현되는 방식과 원리를 알고, 지극히 작은 자신의 상념 한 조각조차도 거대한 결과를 이루는 씨앗임을 깨닫는다면

앞으로의 인생의 목표, 삶의 방향은 놀랍도록 바뀔 것이다.

C.W. Leadbeater 지음 / 11,000원 (2022.02.08)

단순 투시

단순히 눈이 뜨임으로써 주변에 있는 아스트랄 혹은 에테르 질료의 물체를 무엇이든지 볼 수 있게 되는 것. 현재 이외의 다른 어떤 시간에 속하는 장소나 광경을 보는 능력은 포함되지 않는다.

공간 투시

투시자로부터 공간적으로 떨어진 광경이나 사건을 보는 것. 보통의 눈으로는 볼 수 없을 정도로 매우 멀리 있거나 장애물에 가려 보이지 않는 대상을 투시하는 능력.

시간 투시

시간상으로 떨어진 사건이나 대상을 보는 것. 과거나 미래를 들여다보는 능력이다.

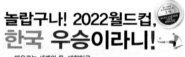

카라 지음 / 15,000원 (2020.05.16)

온 국민이 코로나 사태로 고생하고 경제 전망도 어두운 때 희망을 선사하는 책이 나왔다. 표지와 제목은 물론 기발한 내용으로 가득 차 있다. 한국이 2022년 카타르월드컵 우승할 수 있다는 대담한 선언!

알베르트 아인슈타인이 "지식보다 중요한 것은 상상력(Imagination) 이다."라고 했는데, 저자는 상상하는 것(Imaging)과 상상력을 사용 (Imagining)하는 것은 전혀 다른 것임을 명확히 설명한다.

나와 당신의 이야기,
그리고 그림

신성 지음

신성 지음 / 15,000원 (2020.07.31)

누구에게나 하루의 순간 중에 잠시 떠오르는 추억이나 애틋한 감정
이 있다. 저자는 이러한 감정을 놓치지 않고, 그중 선명한 한 가지를
주제로 하여 차별 있는 나만의 이야기로 정리하였다. 그리고 '벗님 카
페'라는 직장인 음악 밴드에 연재하던 글을 모아 출간하였다.

또한, 〈나와 당신의 이야기, 그리고 그림〉의 또 다른 볼거리인 그림
은 미국에서 화가로 활동 중인 저자의 누나가 직접 그린 그림이다. 고
향에 대한 그리움을 떠올리며 그린 수채화와 정물화가 저자의 일상을
더욱 풍성하게 만들어 준다.

한사랑 지음 / 17,500원 (2022.03.20)

30년 만에 명상록을 다시 복간하면서 감회가 새롭습니다.

2022년 한국은 지난 1만 년 한국 역사를 통합하고 새로이 도약하는 시점에 도달했습니다.

한국의 도약은 지난 60년간 한국에 화신한 영적인 영혼들이 모두 깨어나는 그 에너지에 의한 것이기도 합니다.

92년 WHITE VACUUM 출판사를 만든 이후로 지난 30년간 IMF, 서브프라임, 우크라이나 전쟁을 겪으면서 한국과 세계는 문명상승과 하강의 분기점에 도달했습니다.

한국의 도약은 남북통일을 가능하게 할 것이고, 세계 전체를 다시 하나로 융합하는 에너지를 발산하게 할 것입니다.

모쪼록 앞으로 출간하는 다양한 책이 한국의 도약과 세계 평화를 완성하는 강렬한 불꽃을 발화시키는 역할을 하기를 기대합니다.

모리아 대사 지음 / 13,200원 (2022.04.29)

신과의 합일인 요가.
인도 8대 요가 중
모든 것을 변화시키는 불의 요가에 관한 책.

아그니의 생각의 불, 마음의 불, 영혼의 불로
자신의 삶과 세상을 변화시키기.

모리아 대사 지음 / 12,000원 (2022.04.29.) 전5권 완결

세상에 위계가 존재하듯이
우주에도 위계가 존재한다.
우주의 위계는 완벽과 질서와 조화로 만들어진다.
일체 모든 것, 신성과 만물을 알고자 한다면
하이어라키를 알아야 한다.

모리아 대사 지음 / 13,200원 (2022.04.29)

하늘과 땅의 모든 것이 압축된 곳
세상의 모든 고통이 존재하는 곳
세상의 모든 전쟁의 원인이 존재하는 곳
그 원인을 제거할 유일한 열쇠가 있는 곳
인류의 하트에서 정의로운 불꽃이 일어날 때
세상은 전쟁이 사라지고 평화가 정착된다.

알렉산드라 데이비드-닐 지음 / 16,000원 (2022.05.10)

한 서구 여성이 파헤친 티베트의 신비
불교의 진수가 현존하고 그 외 잡다한 종교가 난무하는 가운데
사십구재의 진정한 의미인 바르도(Bardo)의 세계 등
참된 가르침과 초월적인 능력을 터득해가는 구도의 여정

알렉산드라 데이비드-닐 지음 / 15,000원 (2022.06.16)

불교의 정수가 현존하는 땅 티벳에서 탐구한 서구 여성의 구도 기록 제자도와 신비적인 가르침 그리고 여러 영적인 훈련 및 심령 훈련에 대해 자신이 직접 체험한 내용을 생생하게 묘사하고 있다.

티벳의 여러 심령현상과 그에 대한 과학적인 설명을 흥미진진하게 이야기한다.

Elizabeth Towne 지음 / 8,500원 (2022.07.17)

더 행복하고, 건강하고, 균형 잡힌 삶을 살 수 있도록 도와줄 삶의 힘을 깨우는 법을 배우세요.

당신은 마음가짐과 집중을 통해 신체적, 정신적 안녕에 대한 통제력을 가질 수 있는 능력이 있습니다.

이 책은 당신의 심리 상태를 어떻게 개선할 수 있는지 알려주며 그로 인해 당신의 삶은 송두리째 바뀔 것입니다.

# 앞으로의 인류의 미래는?

앞으로 인류 문명은 상승 곡선으로 나아갈 것인가?
아니면 하강 곡선을 만들면서 파멸의 구도가 전개될까?

인간의 운명도 의지가 강한 자는 바꾸는 것이 가능한데, 인류 문명의 방향성도 바꾸는 것이 가능하지 않을까?

수많은 고대 문명이 존재했었고
그러한 문명이 하루아침에 사라진 것은
파멸의 형태인가 아니면, 도약의 형태로 사라졌는가?

플라톤, 피타고라스 같은 고대 선지자와 매스터들이 퇴보하는 각 시대의 문명을 변화시키기 위해 어떻게 노력했을까?

자신과 인류의 미래를 변화시키는 것을
공부하고 연구하고 싶은 분은

sita7@naver.com (메일)
010-2231-9977로 연락해주시기 바랍니다.